国家出版基金项目
NATIONAL PUBLICATION FOUNDATION

《三联经典文库》

第二辑

2012 年国家出版基金项目

三联经典文库

142

陶行知教育论文选辑

陶行知 著　　方与严 编

生活·讀書·新知 三联书店

图书在版编目(CIP)数据

陶行知教育论文选辑 / 陶行知著 ; 方与严编. --
北京 : 生活·读书·新知三联书店, 2014.1
（三联经典文库第二辑）
ISBN 978-7-108-04458-7

Ⅰ. ①陶… Ⅱ. ①陶… ②方… Ⅲ. ①陶行知（1891～1946）- 教育思想 - 文集 Ⅳ. ①G40-092.6

中国版本图书馆CIP数据核字(2013)第050873号

142 陶行知教育论文选辑

责任编辑 曹明明
封扉设计 蔡立国
责任印制 常宁强
出版发行 生活·讀書·新知 三联书店
(北京市东城区美术馆东街22号)
邮　　编 100010
经　　销 新华书店
印　　刷 北京鹏润伟业印刷有限公司
版　　次 2014年1月北京第1版 2014年1月北京第1次印刷
开　　本 787毫米×1092毫米 1/32 印张 9.625
字　　数 133千字
定　　价 36.00元

《三联经典文库》出版缘起

适逢生活·读书·新知三联书店八十华诞，为弘扬传统，接续文脉，回报读者，服务社会，我们决定策划出版《三联经典文库》。

1932 年 7 月，生活书店在上海创办，此后，读书出版社和新知书店相继成立。本文库第一辑、第二辑所选图书，来自于这三家出版单位及其分支机构，以及 1948 年生活·读书·新知三联书店成立后的出版物，始于 1932 年，截至 1951 年，两辑各一百种。此为第二辑，涉及政治、经济、社会、军事、思想文化诸领域，涵盖专著、文集、散文、小说、诗歌、传记、报道等体裁，既有直面现实、追求真理、讴歌真善美、抨击假恶丑的原创作品，又有引介世界各国先进文化、传播新知、开启民智的迻译之作，真实记录了那一代知识分子的思考与探索、理想与愿景和对中华民族文化传承与创新所做出的努力与贡献。

本文库所辑入各书，多为名家名作，在版本方面，以初版一印本或经著译编者审定、修订、增订过的版本为首选，因此本文库又具有较为珍贵的版本价值和收藏价值。

本文库还将编选续辑，使之成为恢弘文化工程。诚挚希望读者给予批评和指正，帮助我们完善编选工作，再现三联经典作品之风采。殊为遗憾的是，由于年代久远，一些原著译编者及其后人未能取得联系并奉付稿酬，诚盼版权所有者与我们联系。祈愿三联前辈所创造的精神财富能薪火相传，为中华文化的伟大复兴增光添彩。

《三联经典文库》编辑委员会

2013年8月

凡　例

一、本文库为重排本，由繁体字竖排版改为简体字横排版。

一、以忠实于原作、整旧如旧为编辑原则，对当时使用的专有名词、外文译名，以及民国时期的语言和特色予以保留。

一、原书注释如旧，编者所出的注释，均以“编者注”标明，以示与原书注释的区别。

一、对原书残缺或字迹漫漶之处，以□示代。

一、对繁简文本转换时的“如右”、“见左”一类，对应改为“如上（前）”、“见下（后）”。

一、对原书中各种错讹脱衍之处，直接订正，不再以其他符号标示。

一、对数字、标点符号的用法，在不损害原文语义的情况下，做必要的规范。

一、本文库各书均前插原书书影、原书版权页和文库版“本书出版说明”。

一、本书出版说明的撰写，以客观中立为原则，扼要介绍本书的内容、版本流转、著译编者的情况。

本书出版说明

陶行知先生去世之后，方与严“应国人之需求”，选辑了三十四篇行知先生教育理论名篇而成此书。内容包括“生活即教育”、“社会即学校”、“教学做合一”的教育思想核心；提倡普及教育，主张人人都有获得教育的权利；提出“艺友制”、“小先生制”等简单易行的方法。通过对晓庄学校、育才中学、山海工学团等案例的分析，为当时的教育指出了一条务实可行的道路。

本书于1946年9月由重庆民联书局出版，1947年3月出版第二版。民联书局停业后，生活书店于1948年7月印行初版本。1949年7月生活·读书·新知上海联合发行所再次出版。此次出版，即以生活书店初版本为底本。

陶行知（1891-1946），原名文濬，安徽歙县人。1914年毕业于金陵大学，留学美国获政治硕士学历，后研究教育，师从杜威。1917 年回国后任南京高等师范学校、东南大学教授、教务主任等职，与蔡元培等发起成立中华教育改进社。1927 年创办晓庄学校。1932 年创建山海工学团。1935 年以后，积极投身抗日救亡运动。“一二·九”运动后，与宋庆龄、沈钧儒、胡愈之、邹韬奋等发起组织“上海文化界救国会”。著有《中国教育改造》、《古庙敲钟录》、《斋夫自由谈》、《行知书信》、《行知诗歌集》等。

方与严（1889-1968），原名方昌，字禹言、竹因，安徽歙县人。1927 年考入南京晓庄师范。1928 年与操震球一起创办湘湖师范。1932 年担任山海工学团主任。1935 年加入中国共产党。北京解放后，以救国会代表的资格出席第一届全国政协全体会议。建国后，任初等教育司副司长和民族司副司长等职。是陶行知教育思想的忠实实践者和宣传推动者。著有《教人民起来做主人》、《陶行知的道路》、《陶行知的教育事业和教育思想》等文章，《教学做概论》、《生活教育简述》、《大众教育家与大众诗人》等著作。

生活·读书·新知三联书店

2013 年 8 月

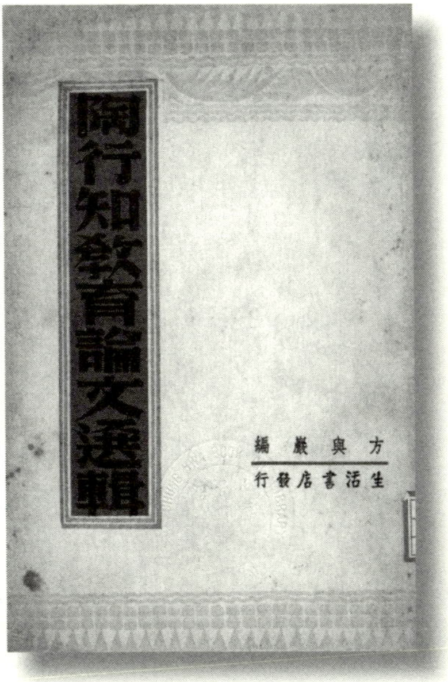

生活书店 1948 年 7 月初版书影

陶行知教育論文選輯

基本定價拾壹圓整
·外埠酌加郵運費·

著者 陶行知
編者 方與嚴
發行人 徐伯昕
發行所 生活書店
上海 福州路三八四弄四號
香港 皇后大道中五十四號
星加坡 吉甯街四十號A
經售處 各大書店

中華民國三十七年七月初版

(187) 1—1500

原书版权页

目次

陶行知先生（1891 - 1946）

人生天地间，各有所禀赋：

为一大事来；做一大事去。

十三年三月二十六日作

陶行知先生传略

陶行知先生（一八九一——一九四六），安徽歙县人，原名文濬，继信王阳明"知行合一"学说，易名知行，复以发现"行是知之始，知之行之成"，乃再易名行知。天性聪颖，富创造力，民三毕业于金大，赴美留学，得政治硕士，继续研究教育，为杜威博士所器重，志在使中国人人得受教育。回国后，任南高教务长，东南大学教育系主任，中华教育改进社总干事，推进平民教育运动，对教育多所革新。嗣接圣约翰大学科学博士荣誉学位，创办晓庄学校，主张"生活即教育"，"社会即学校"，"教学做合一"，掀起教育革命。设立工学团，发明"小先生"制。组织生活教育社，领导革新教育。拟具国难教育方案，号召共赴国难，并出任国民外交使节，宣扬抗战，发动华侨出钱出力，抢救祖国。嗣任国民参政员，创办育才学校，培养人才幼苗，采用分组学习，誉遍全球。创办社会大学，为青年文化普及提高与自觉自动之再教育。近从事民主运动，为人民爱戴。不幸于去年七月廿五日，以脑溢血病逝上海，时年五十五岁。一生尽瘁人民事业，创造生活教育理论，领导“乡村”，“普及”，“国难”，“战时”，“全面”，“民主”六大教育运动，为中国新教育开辟新道路。遽尔溘逝，如泰山崩，高山仰止，中外同悲！去冬由五十三人民团体，公葬于南京晓庄劳山之麓。先生一切为人民，世称人民导师，永为人民矜式。

三十六年三月十五日

陶行知先生纪念委员会

教人民起来做主人（代序）

生活教育创始者陶行知先生，一开始即是以革命的姿态出现的！他是要教人民起来做主人，革“只能教人俯首贴耳服从，只有因旧贯而不知创造的传统教育”的命的。他这样抒述着：

揭开革命旗，飘扬劳山侧，
风云啸起处，书呆失魂魄！
书呆不要吓！往事不足责。
合将大人心，渲染儿童色。

当时晓庄学校开校，生活教育初创时，是有许多维护旧传统教育的书呆子们，在惊魂失魄的！所以行知先生接着就劝他们不要吓，只要他们存着赤子之心，为最大多数人服务，我们仍然是欢迎大多数的人来参加，来共同创造的。

行知先生又在《小庄晓》一诗里，这样呐喊着：

老山劳；小庄晓：
新时代，推动了。
老山劳；小庄晓：
咱锄头，起来了。
老山劳；小庄晓：
伪知识，消灭了。
老山劳；小庄晓：
士阶级，下野了。

晓庄原名小庄。校后有老山，行知先生将它改名为劳山，寓“在劳力上劳心”之意。它，一开始就要推动新时代；要锄头起来，即是要最大多数的农民起来做主人，不再做奴隶；要消灭伪知识，创造真知识；要“士”阶级下野，即是要“士”不再居于四民之首，而站在人民大众头上，做人上人！而且是要知识分子，站在人民大众之中，为人民为大众服务，做人民大众的“人中人”，意在其中了。这些革命举动的号召，是能够唤起世人注意的，是能够为有志从事革命教育的青年人士所乐意接受的，是能够适应为自求解放的革命的民众的要求的，所以生活教育开始不到一年，全国就风起响应，集合到这革命教育的旗帜下来了。

行知先生本其一贯主张，号召同志以负起时代赋予的使命，而发展为六大运动：

第一，乡村教育运动；

第二，普及教育运动；

第三，国难教育运动；

第四，战时教育运动；

第五，全面教育运动；

第六，民主教育运动。

民主教育运动是配合民主运动进行的。行知先生对于民主和民主教育，都是深入浅出，大众化的妇孺能懂的扼要的指示我们：

民主的意义还在发展，因为它的内容还在

发展，照我看来，真正的民主必须包涵：（一）政治民主；（二）经济民主；（三）文化民主；（四）社会民主；（五）国际民主。

民主没有深奥的意思。通俗点说：就是“大家有份”。在倒霉的时候是“有祸同当”，在幸运的时候是“有福大家享”，在平常的时候是“大家的事，大家做，大家谈，大家想”。

民主教育是教人做主人，做自己的主人，做国家的主人，做世界的主人。把林肯总统的话引伸到教育方面来说：“民主教育是民有民治民享之教育。”说得通俗些：“民主教育是人民的教育，人民办的教育，为人民自己幸福而办的教育。”

民主教育一方面是教人争取民主，一方面是教人发展民主。在反民主的时代或民主不够的时代，民主教育的任务是教人民争取民主，到了政治走上民主之路，民主教育是配合整个国家的创造计划，依着民主的原则，发挥各人及集体的创造力，以为全民造幸福。

> 无论是争取民主或是发展民主，都要靠广大人民的群策群力才会成功。这广大人民在数量上是越广大越有力量，在认识上是认识得越深刻越有力量。因此民主教育需要普及。我们所要普及的是救命的民主教育，要全国老百姓，无论男女老少贫富，都能很快的得到这救命的民主教育。

是的，我们要全国老百姓，无论男女老少贫富，都能很快的得到这救命的民主教育。但不幸，先生在这需要普及这救命的民主教育的时候，竟因时局的激荡而刺激过甚，以致脑充血而病殁上海，舍我们而去了，舍弃一切爱好和平爱好民主的人民而去了！这是一个弥天的大憾而难以补偿的损失啊。然而，爱护和平民主的人民，日益加多起来，都有要进一步了解先生的教育学说的必要与需求，各方殷殷以先生之遗著垂问。与严责无旁贷，于由渝去沪临行之前，将先生生平著作，择要选出他的代表作，凡三十四篇，作为一选集，以公同好，作为探讨生活教育的入门的书及基本研究之参考书。

生活教育，是："生活即教育"，"社会即学校"，"教学做合一"的三个命题，是同时一贯的主张联系提出来的。"生活即教育"是他的本体论，"社会即学校"是他的领域论，"教学做合一"是他的方法论。

本书起首，《什么是生活教育》，《生活教育之特质》，《生活教育现代化》等三篇，是本体论的说明。其次，《教学合一》，《教学做合一》等二篇，是说明教育方法的演进。《行是知之始》，《在劳力上劳心》，《以教人者教己》等三篇，是阐明"教学做合一"的精义与功用。《教学做合一下之教科书》一篇，是针对着生活教育所要用的书，必须如此编纂和运用。以上六篇，都是方法论的说明。"社会即学校"，先生虽然没有专文说明，但常常流露在其他篇章里，这样说："整个社会是生活的场所，亦即教育的场所。从大众立场看，社会是大众惟一的学校，生活是大众惟一的教育。我们必须正式承认它，并且运用它来增加自己的知识，增加自己的力量，增加自己的信仰。在社会即学校里，人人可以做我们的先生，人人可以做我们的同学，人人可以做我们的学生。随手抓来都是活书，都是学问，都是本领。"第三，《中国师范教育建设论》,《艺友制师范教育答客问》等二篇，是先生对师范教育改造的主张和创造。第四,《新大学——大众的大学》,《民族解放大学》等二篇，是先生扩大教育领域的主张和创造。第五,《创造宣言》，是说明生活教育必须是创造的，为创造的生活教育。第六,《创造的儿童教育》,《敲碎儿童的地狱，创造儿童的乐园》,《民主的儿童节》等三篇，是先生对儿童教育的主张和创造。第七,《创设乡村幼稚园宣言》,《幼稚园之新大陆——工厂与农村》等二篇，是先生对于幼稚教育的主张和创造。第八,《普及现代生活教育之路》,《中国普及教育方案商讨》等二篇，是先生对于普及教育的主张和创造。第九,《民主》,《民主教育》,《民主教育之普及》,《实施民主教育的提纲》,《大众的艺术》等五篇，是先生最近对于民主教育的正在积极推进的主张和创造。第十,《社会大学颂》,《社会大学运动》，是先生新近对于普及高等教育的主张和创造。第十一,《迎接民主年》，是先生的努力民主和渴望的具体表现。第十二,《哀挽“一二·一”》，是先生对于反内战的号角之最尖锐之代表作。第十三,《乡村工学团试验初步计划说明书》，是先生于“九·一八”后，在上海宝山两县之间创办山海工学团主张：“工以养生，学以明生，团以保生”的创造。第十四，《育才学校创办旨趣》，《从五周年看五十周年》，是先生对于育才学校培养“人才幼苗”的主张和创造，以及今后的远景。前一篇，我们已遵循实施了七年之久，已粗具成效。后一篇，是先生没有完篇的作品——已成为永远不能完篇的遗作了！我们惟有遵循先生的提示，继承先生的遗志，用行动，用创造，用精诚团结，用集体力量，来支持先生所遗留给我们的事业，以完成先生所期望的远景了。

行知先生所主张的生活教育，是要教育合理而适于实用，必使人民生活改进，社会安定。教育要达到这个目的，必要走下列两条路线：

（一）教劳心者劳力——教读书人做工。

（二）教劳力者劳心——教做工人读书。

生活的新出路，即是教育的新出路。生活的范围要扩大，即教育的范围要扩大。行知先生在不久之前，对于生活教育的提要，是：

（一）从学校到社会　学校教育的范围小，不能尽“生活教育”的能事：“学校社会化”亦是削足适履，包括不下去。只有将整个社会变成学校，主张“社会即学校”，整个的社会范围，即是整个的教育范围，那末，教育的对象丰富，教育的意义也就丰富，取之不尽，用之不竭了。

（二）从书本到生活　从前是读死书，死读书，读书死！舍书本外无教育，所以造成许许多多“书呆子”。现在要从整个生活出发，过整个的生活，受整个的教育。过做工生活，即是受做工教育。过种田生活，即是受种田教育。过康健生活，即是受康健教育。过劳动生活，即是受劳动教育。过科学生活，即是受科学教育。过艺术生活，即是受艺术教育。过社会革命生活，即是受社会革命教育。……否则，读种田的书，算不得受种田的教育；读劳动的书，算不得受劳动的教育；读康健的书，算不得受康健的教育；……

（三）从教到做　从前是先生教，学生学。教而不做，不是真教；学而不做，不是真学。故教而不做，不是先生。学而不做，不是学生。在做上教，才是真教，在做上学，才是真学。真教，才是先生，真学，才是学生，这就是我们主张的："教学做合一"。

（四）从被动到自动　不能自动即是被动。被动是要受到人家的牵制。愈被动愈受牵制。牵制愈多，则民族性愈弱，国势愈危。个人能自动，则个个人格自尊。全国国民人人能自动，则国势自强，则国体自尊，莫之敢侮了。

（五）从士大夫到大众　以前教育是属于少数人的，是士大夫教育，教人升官发财的教育，没有力量的教育；甚且变成害人的教育，刮地皮的教育，吸大众膏血的教育。现在要把教育普及于大众，要把教育做水，把散沙的民族性凝合起来，团结成为伟大的中华民族力量！

（六）从轻视儿童到信仰儿童　从前的儿童，是大人的附属品，玩物，私有财产，一切没有儿童的地位。现在要信仰儿童有能力，是一个小思想家，小创造家，小建设家，只要能够因势利导，他们——儿童个个都是思想自由的天使，创造的天使，建设的天使！

（七）从平面三角到立体几何　以前的教育，是从口里出来，耳朵里进去；或从眼睛里进去，又从口里出来。荀子说“小人之学也四寸”，口眼耳之间距离各约四寸，可以算他是平面三角的教育。现在是要立体几何的教育。什么是立体几何的教育呢？因为“生活即教育”，是有些生活要手脑联盟起来干，有的要用脚一起干，有的要运用全身的力量来干，才干得好，才干得出色。

生活即教育，生活以外无教育，教育是要供给人生的“现实”的需要。劳动即生活，劳动以外无生活，人类是满足“现实”的需要而劳动。劳动即教育，劳动以外无教育，教育是要供给“劳动者”的“现实”生活的需要。

人类现实生活的需要：大别之为生存与生殖；细分之则为吃饭，穿衣，住屋，走路，求学，娱乐，恋爱，生子，医药……等等。这些需要，要在劳动的生活里才能得到满足；不劳动的生活里就不能得到满足。人人劳动，人人满足；人人不劳动，人人不满足，在劳动的生活里，教育的机会绝对平等，人人劳动，人人有教育；人人不劳动，人人没有教育。教育是为劳动者所有。生活要有计划有组织，就是要劳动要有计划有组织，则教育就是计划生活组织生活，就是计划劳动组织劳动。能够教人有计划有组织的劳动生活，取得他现实生活需要的教育，是现今的"真正"的生活教育。

中华民国三十五年八月十四日

方与严敬序于由重庆去上海之前夕

再版序言

“生活教育”这一命题，是在二十年前，由陶行知先生高瞻远瞩，视时代之需要而提出来的，登时即为国人所接受，随时代之演进而发展为六大运动，以促成时代更快更有进境的发展。

我于上年八月十四日，即先生逝世后十九天，在悲抑的情绪中，因应国人之需求，选辑先生二十年来创造新教育——生活教育之论著代表作凡三十三篇，定名《陶行知教育论文选辑》，交与重庆民联书局印行，九月间出版，不到二月，第一版即已售完。在重庆因印刷和纸张关系，久未再版，因而失去了好多次贡献给用书者群的机会，为新教育和社会服务的精神不够敏捷，不能不说是一件憾事。好在，现时民联书局为着纪念生活教育运动二十周年，特派副经理龚思雪先生来沪主持再版事宜，另行设计精美装璜，并加入先生生活真迹照片多幅，以便景仰先生更能印象深入，而发出无穷愿力为人民服务，在服务中提高人生的境界，以发扬生活教育为社会服务为人民服务的理论方法及效力的更高的境界。

怎样发扬和提高境界？惟有群策群力，以集体的智慧为智慧，集体的意志为意志，私淑先生的一生热爱真理，热爱人民，热爱青年，热爱孩子，热爱科学，热爱艺术，热爱一切真善美！服膺先生的主张：一切为人民，人民至上，民主第一！全心全力，积时成日，积月成年。年年，月月，日日，时时，一切为民主，一切为民主教育而贡献出自己毕生的精力，把集体的智慧扩大成为民族国家的智慧和人类全体的智慧，把集体的意志扩大成为民族国家的意志和人类全体的意志，必能产生出无穷的愿力与勇于为公的气派，来共同创造一个民主的和平乐业的平等互助的新中国和新世界。

在当前争取民主，扩大民主教育运动的今天，本选辑中的《普及现代生活教育之路》，《中国普及教育方案商讨》，《民主》，《民主教育》，《小学教师与民主运动》，《民主教育之普及》，《大众的艺术》等篇，尤有重大的意义和深永的意味。《新大学——大众的大学》,《民族解放大学》,《社会大学颂》,《社会大学运动》等篇，是争取民族解放，争取高等教育普及的新路线，更值得一般潜心研究教育者的研究，热心提倡教育者的提倡，要皆以集体的智慧和集体的心力，来躬行实践和发扬光大，必能使中国新教育——生活与实践统一的新教育有长足的进展，有造于社会国家，有造于世界人类。爱好新教育的朋友们，放射出你无边的智慧的光芒，照耀着人类走向光明的前途，为自己为人类而创造美满的幸福生活吧。

生活教育的远景，是极乐世界。先生在晓庄创始生活教育时，有这样一副对联说过:“从野人生活出发，向极乐世界探寻”。极乐世界不能从天而降，有待于人类共同创造。创造遇到阻力，必须看清阻力之来而排除之！排除阻力的最好的方法，是造成民主教育的浪潮，来淹没一切创造的阻力。涓涓细流，汇成江河。海纳百川，乃成其大。一点一滴的力量，都是造成民主教育浪潮的力量。点点滴滴的教育力量，快快聚集起来，成为人类智慧的源泉，创造人类幸福的源泉吧。

中华民国三十六年三月二十八日

方与严序于上海

三版序言

《陶行知教育论文选辑》，第一版发行，是在民国三十五年八月十四日以前选辑成，交重庆民联书局印行的。但在大后方，一切纸料排版校对印刷等项，都是很粗率的。虽然，销路很好，不到两个月就销完了，然而内心终觉不安。第二版，是在三十六年三月，民联书局派了龚思雪先生，亲来上海主持再版的。虽然改进了一些，究因沿用原来纸型，终于不能做到理想境地！纵使它销路仍然很好，仍然使我心里不安。加以民联书局停业，就搁置起来了。现在交生活书店出版的这个第三版，是完全重排的。

关于陶行知先生创造生活教育的大要，我已经在前两篇序言里扼要的提到了。现在想补述一点意见，就是关于行知先生的诗歌和他的生活教育主张的统一运用问题。在先，时人称行知先生为大众诗人和大众教育家；后来，时人又改称他为人民诗人和人民教育家。因为他主张："民为贵。人民第一。一切为人民。"因此，行知先生在他的诗歌里和他的生活教育主张里，处处所行所指示的道路，是人民的道路，是民主的道路，是和平团结建设新中国，使人民得以安居乐业的道路。你看他说："大众是我们的亲人，我们是大众的亲人，是必须亲近，打成一片，并肩作战。一切所教所学所做所探讨，为的是大众的幸福。"又说："我们要跟老百姓学习，学习人民的语言，人民的感情，人民的美德，努力发现老百姓的问题，困苦，和他们心中所希望达到的目的，并认识他们就是中华民国真正的主人，要他们告诉我们怎样为他们服务才算满意。"他的诗歌，他的教育主张，是这样向着人民路线进行的，所以易为人民所接受，所乐于推行。

行知先生是人民诗人，因他是站在人民大众之中属于人民大众的一员，体验出人民大众的需要，人民大众的迫切要求，然后才能作为人民的喉舌，发出人民心灵深处的呼声，成为民族生死存亡的号角，建立平等互助世界的灯塔！

行知先生是人民教育家，因他常常诚心诚意的接受人民大众生活实践的指导，认清人民大众生活的需要，综合人民大众生活的需要，提高人民大众生活的需要，然后制成生活教育方案，提出生活教育主张，来解决人民大众生活的问题，教育人民大众生活得内容更丰富意义更重大，放射出生活的光辉，照着人民大众向着光明之路前进，向着新的平等互助的极乐世界探寻！

行知先生的诗歌和他的生活教育主张，都统一在人民大众的基础上面，建立在人民的基础上面，所以他很忠实的，坚决的，常把人民大众的主张贯彻在他创造“生活教育”的主张里，贯彻在他的诗歌的号筒里，所以为人民大众所喜闻，所乐道，所愿于推行，而易于起作用和发生效力了。因此，我们要研究行知先生创造的生活教育，必须同时研究他的《行知诗歌集》，帮助了解行知先生是人民诗人的人民教育家，才能够领悟出他的“生活教育”主张的平凡而伟大；了解行知先生是人民教育家的人民诗人，才能够领悟出他的诗歌的境界的平凡而高远，也更能够了解出他的诗歌和生活教育主张的统一运用，而坚决为人民大众服务之诀窍的微妙了。

这一册选辑第三版，能够得到生活书店负责出版，自然印刷精致审慎，为一切海内外爱好行知先生所创造的“生活教育”主张的朋友所乐于采用，行见第四版，第五版……以及数十百版的发行的传布，得到更多更好的朋友来共同研究，运用民族的智慧，民族的创造力，为中国民主教育铺设一条更好更广阔的新道路，以助成为中国民主政治铺设一条更好更广阔的新道路，好让国人由此新道路共同前进，共同努力，共同建立一个真正名副其实的民有民治民享的人民安居乐业的新中国，大家劳动，大家创造，大家幸福，大家进步。

中华民国三十七年五月四日

方与严序于香港九龙北京道乐家公寓五号

什么是生活教育

生活教育这个名词是被误解了。所以被误解的缘故，是因为有一种似是而非的理论混在里面，令人看不清楚。这理论告诉我们说：学校里的教育太枯燥了，必得把社会里的生活搬一些进来，才有意思。随着这个理论而来的几个口号是："学校社会化"，"教育生活化"，"学校即社会"，"教育即生活"。这好比笼子里面囚着几只小鸟，养鸟者顾念鸟儿寂寞，搬一两个树枝进笼，以便鸟儿跳得好玩，或者再捉几只生物来，给鸟儿做陪伴，小鸟是比较得舒服了。然而鸟笼毕竟还是鸟笼，决不是鸟的世界。所可怪的是养鸟者偏偏爱说鸟笼是鸟世界，而对于真正的鸟世界的树林反而一概抹煞，不加承认。假使笼里的鸟，习惯成自然，也随声附和的说，这笼便是我的世界，又假使笼外的鸟都鄙弃树林，而羡慕笼中生活，甚至于不得其门而入为憾，那末，这些鸟才算是和人一样的荒唐了。

我们现在要肃清这种误解。生活教育是生活所原有，生活所自营，生活所必需的教育（Life education means an education of life，by life and for life）。教育的根本意义是生活之变化。生活无时不变，即生活无时不含教育的意义。因此，我们又可以说：“社会即学校。”在这个理论指导之下，我们承认过什么生活便是受什么教育；过好的生活，便是受好的教育；过坏的生活，便是受坏的教育；过有目的的生活，便是受有目的的教育；过糊里糊涂的生活，便是受糊里糊涂的教育；过有组织的生活，便是受有组织的教育；过有计划的生活，便是受有计划的教育；过乱七八糟的生活，便是受乱七八糟的教育。换个说法，过的是少爷生活，虽天天读劳动的书籍，不算是受着劳动教育；过的是迷信生活，虽天天听科学的演讲，不算是受着科学教育；过的是随地吐痰的生活，虽天天写卫生笔记，不算是受着卫生的教育；过的是开倒车的生活，虽天天谈革命的行动，不算是受着革命的教育；我们要想受什么教育，便须过什么生活。

生活教育与生俱来，与生同去。出世便是破蒙；进棺材才算毕业。在社会的伟大学校里，人人可以作我们的先生，人人可以作我们的同学，人人可以作我们的学生。随手抓来都是活书，都是学问，都是本领。

自有人类以来，社会即是学校，生活即是教育。士大夫之所以不承认他，是因为他们有特殊的学校给他们的子弟受特殊的教育，从大众的立场上看，社会是大众惟一的学校，生活是大众惟一的教育。大家必须正式承认他，并且正式运用他来增加自己的知识，增加自己的力量，增加自己的信仰。

生活教育是下层建筑。何以呢？我们有吃饭的生活，便有吃饭的教育；有穿衣的生活，便有穿衣的教育；有男女的生活，便有男女的教育。它与装饰品之传统教育根本不同。它不是摩登女郎的金钢钻戒指，而是冰天雪地下的穷人的窝窝头和破棉袄。

生活与生活摩擦才能起教育的作用，我们把自己放在社会的生活里，即社会的磁力线里转动便能通出教育的电流，射出光，放出热，发出力。

生活教育之特质

你如果看过狸猫换太子那出戏，一定还认得那里面有一件最有趣的事情，就是出现了两个包龙图：一个是真的，还有一个是假的，我们仔细想想，是越想越觉得有趣味了。世界上无论什么事，都好像是有两个包龙图。就拿教育来说罢，你立刻可以看出两种不同的教育：一种叫做传统教育；另一种叫做生活教育。又拿生活教育来说吧，你又可以发现两种不同的说法：一种主张“教育即生活”；另一种是主张“生活即教育”。我现在想把生活教育的特质指出来，目的不但要使大家知道生活教育与传统教育之不同，并且要使大家知道把假的生活教育和真的生活教育分别出来。

（一）生活的　生活教育第一个特点是生活的。传统的学校要收学费，要有闲工夫去学，要有名人阔老介绍才进去。有钱，有闲，有面子，才有书念。那末无钱，无闲，无面子的人又怎么办呢？听天由命吗？等待黄金时代从天空落下来吗？不！我们要从生活的斗争里钻出真理来。我们钻进去越深，越觉得生活的变化便是教育的变化。生活与生活一摩擦便立刻起教育的作用。摩擦者与被摩擦者都起了变化，便都受了教育。有人说：这是“生活”与“教育”的对立，便是“生活”与“教育”的摩擦。我以为教育只是生活反映出来的影子，不能有摩擦的作用。比如一块石头从山上滚下来，碰着一块石头，就立刻发出火花，倘若它只碰着一块石头的影子，那是不会发出火花的。说得正确些，是受过某种教育的生活与没有受过某种教育的生活，摩擦起来，便发出生活的火花，即教育的火花，发出生活的变化，即教育的变化。

（二）行动的　生活与生活摩擦，便包含了行动的主导地位。如果行动不在生活中取得主导的地位，那末，传统教育者就可以拿“读书的生活便是读书的教育”来做他们掩护的盾牌了。行动即是主导的生活，那末，只有“为行动而读书，在行动上读书”才可说得通。我们还得追本推源的问：书是从那里来的？书里的真知识是从那里来的？我们是毫不迟疑的回答说：行是知之始，即行即知，书和书中的知识都是著书人从行动中得来的，我要声明著书人和注书人抄书人是有分别。人类和个人的知识的妈妈都是行动。行动产生理论，发展理论。行动所产生发展的理论，还是为的要指导行动引着整个生活冲入更高的境界。为了争取生活之满足与存在，这行动必须是有理论，有组织，有计划的战斗的行动。

（三）大众的　少爷小姐有的是钱，大可以为读书而读书，这叫做小众教育；大众只可以在生活里找教育，为生活而教育。当大众没有解放之前，生活斗争是大众惟一的教育。并且孤立的去干生活教育是不可能的，大众要联合起来才有生活可过；即要联合起来，才有教育可受。从真正的生活教育看来，大众都是先生，大众都是同学，大众都是学生。教学做合一，即知即传，是大众的生活法，即是大众的教育法。总说一句，生活教育是大众的教育，大众自己办的教育，大众为生活解放而办的教育。

（四）前进的　有人说，生活即是教育，那末，便有生活即有教育，又何必要我们去办教育呢？他这句话，分析是对的，断语是错的。我们承认自古以来便有生活即有教育。但同在一社会，有的人是过着前进的生活，有的人是过着落后的生活。我们要用前进的生活来引导落后的生活，要大家一起来过前进的生活，受前进的教育。前进的意识要通过生活才算是教人真正的向前去。

（五）世界的　课堂里既不许生活进去，又收不下广大的大众，又不许人动一动，又只许人向后退，不许人向前进，那末，我们只好承认社会是我们惟一的学校了。马路，弄堂，乡村，工厂，店铺，监牢，战场，凡是生活场所，都是我们教育自己的场所，那末，我们所失掉的是鸟笼，而所得的倒是伟大无比的森林了。为着要过有意义的生活，我们的生活力是必然的冲开校门，冲开村门，冲开城门，冲开国门，冲开无论什么自私自利的人所造的铁门。所以整个中华民国和整个世界，才是我们真正的学校咧。

（六）有历史联系的　这里应该从两方面来说。第一，人类从几千年生活斗争中所得到，而留下来的宝贵的历史教训，我们必须用选择的态度来接受。但是我们要留心，千万不可为读历史而读历史。我们必须把历史的教训，和个人或集团的生活联系起来。历史教训必须通过现生活，从现生活中滤下来，才有指导生活的作用。这样经生活滤过的历史教训，可以使我们的生活倍上加倍的丰富起来。倘使一个人停留在自我或少数同伴的生活上，而拒绝广大人类的历史教训，那便是懒惰不长进，跌在狭义的经验论的泥沟里，甘心情愿的做一只小泥鳅。第二，中国已经到了生死关头，争取大众解放的生活教育，自有它应负的历史的使命。为着要争取大众解放，它必须要争取中华民族的解放。为着要争取中华民族的解放，它必须教育大众联合起来解决国难。因此，推进大众文化以保卫中华民国领土主权之完整，而争取中华民族之自由平等，是成了每一个生活教育同志，当前所不可推却的天职了。

生活教育现代化

生活教育是早已普及了，自有人类以来，便是人人过生活，人人受教育，自然而然的，生活是普及在人间，即是教育普及在人间。但有些人是超时代，有些人是时代落伍，有些人是到了现代还是过着几百年前的生活，便是受着几百年前的教育。教时代落伍的人一起赶上时代的前线来是普及教育运动的目标。做一个现代人必须取得现代的知识，学会现代的技能，感觉现代问题，并以现代的方法发挥我们的力量。时代是继续不断的进，我们必得参加在现代生活里面，与时代俱进，才能做一个长久的现代人。否则，再过几年又要时代落伍了。因此，我们必须拿着现代文明的钥匙才能继续不断的去开发现代文明的宝库，保证川流不息的现代化。这个钥匙便是活用的文字符号和求进的科学方法。普及教育运动之最大使命便是把这个钥匙从少数人的手里拿出来交给大众。

教学合一

现在的人叫在学校里做先生的为教员，叫他所做的事情为教书，叫他所用的法子为教授法，好像先生是专门教学生些书本知识的人。他似乎除了教以外，便没有别的本领，除书之外，便没有别的事教，而在这种学校里的学生除了受教之外，也没有别的功课。先生只管教，学生只管受教，好像是学的事体，都被教的事体打消掉了。论起名字来，居然是学校；讲起实在来，却又像教校。这都是因为重教太过，所以不知不觉的就将它和学分离了，然而教学两者，实在是不能分离的，实在是应当合一的。依我看来，教学要合一，有三个理由：

第一，先生的责任不在教，而在教学，而在教学生学。大凡世界上的先生可分三种：第一种只会教书，只会拿一本书要儿童来读它，记它，把那活泼的小孩子做个书架子，字纸篓，先生好像是书架子，字纸篓之制造家；学校好像是书架子，字纸篓的制造厂。第二种的先生不是教书，乃是教学生；他所注意的中心点，从书本上移到学生身上来了。不像从前拿学生来配书本，现在他拿书本来配学生了。他不但是要拿书本来配学生，凡是学生需要的，他都拿来给他们。这种办法，果然比第一种好得多，然而学生还是在被动的地位，因为先生不能一生一世跟着。热心的先生，固想将他所有的传给学生，然而世界上新理无穷，先生安能尽把天地间的奥妙为学生一齐发明？既然不能与学生一齐发明，那他所能给学生的，也是有限的，其余还是要学生自己去找出来的，况且事事要先生传授，既有先生，何必又要学生呢？所以专拿现成的材料来教学生，总归还是不妥当的。那么，先生究竟应该怎样子才好？我以为好的先生不是教书，不是教学生，乃是教学生学。教学生学有什么意思呢？就是把教和学联络起来：一方面要先生负指导的责任，一方面要学生负学习的责任，对于一个问题，不是要先生拿现成的解决方法来传授学生，乃是要把这个解决方法如何找来的手续程序，安排停当，指导他，使他以最短的时间，经过相类的经验，发生相类的理想，自己将这个方法找出来，并且能够利用这种经验理想来找别的方法，解决别的问题。得了这种经验理想，然后学生才能探知识的本源，求知识的归宿，对于世界间一切真理，不难取之无尽，用之无穷了。这就是孟子所说的自得，也就是现今教育家所主张的自动。所以要想学生自得自动，必先有教学生学的先生。这是教学应该合一的第一个理由。

第二，教的法子必须根据于学的法子。从前的先生，只管照自己的意思去教学生；凡是学生的才能，兴味，一概不顾，专门勉强拿学生来凑他的教法，配他的教材。一来先生收效很少，二来学生苦恼太多，这都是教学不合一的流弊。如果让教的法子自然根据学的法子，那时先生就费力少而成功多，学生一方面也就能够乐学了。所以怎样学就须怎样教；学得多教得多，学得少教得少，学得快教得快，学得慢教得慢。这是教学应该合一的第二个理由。

第三，先生不但要拿他教的法子和学生学的法子联络，并须和他自己的学问联络起来。做先生的，应该一面教一面学，并不是贩卖些知识来，就可以终身卖不尽的。现在教育界的通病，就是各人拿从前所学的抄袭过来，传给学生。看他书房里书架上所摆设的，无非是从前读过的几本旧教科书，就是这几本书，也还未必去温习的，何况乎研究新的学问，求新的进步呢！先生既没有进步，学生也就难有进步了。这也是教学分离的流弊。那好的先生就不是这样，他必是一方面指导学生，一方面研究学问。如同柏林大学包尔孙先生（P. Paulsen）说："德国大学的教员就是科学家，科学家就是教员。"德国学术发达，大半靠着这教学相长的精神。因为时常研究学问，就能时常找到新理，这不但是教诲丰富，学生能多得些益处，而且时常有新的材料发表，也是做先生的一件畅快事体。因为教育界无限枯寂的生活，那是因为当事的人，封于故步，不能自新所致。孔子说"学而不厌，诲人不倦"，真是过来人阅历之谈。因为必定要学而不厌，然后才能诲人不倦；否则年年照样画葫芦，我却觉得有十分的枯燥。所以要想得教育英才的快乐，首先要把教学合而为一，这是教学应该合一的第三个理由。

总之：一，先生的责任在教学生；二，先生教的法子必须根据学的法子；三，先生须一面教一面学。这是教学合一的三种理由，第一种和第二种理由是说先生的教应该和学生的学联络；第三种理由是说先生的教应该和先生的学联络。有了这样的联络，然后先生学生都能自得自动，都有机会方法找那无价的新理了。

教学做合一

"教学做合一"是本校的校训，我们学校的基础就是立在这五个字上，再也没有一件事比明了这五个字还重要了。说来倒很奇怪，我在本校从来没有演讲过这个题目，同志们也从没有一个人对这五个字发生过疑问。大家都好像觉得这是我们晓庄的家常便饭，用不着多嘴饶舌了。可是我近来遇了两件事，使我觉得同志中实在还有不明了校训的意义的。一是看见一位指导员的教学做草案里面把活动分成三方面，叫做教的方面，学的方面，做的方面。这是教学做分家，不是教学做合一。二是看见一位同学在《乡教丛讯》上发表一篇关于晓庄小学的文章。在这篇文章里，他说："晓庄小学的课外作业就是农事教学做。"在教学做合一的学校的辞典里并没有"课外作业"。课外作业是生活与课程离婚的宣言，也就是教学做离婚的宣言。今年春天，洪深先生创办电影演员养成所，招生广告上有采用“教”，“学”，“做”办法字样，当时我一见这张广告，就觉得洪先生没有十分了解教学做合一。倘使他真正了解，他必定要写“教学做”办法，决不会写作“教”，“学”，“做”办法。他的误解和我上述的两个误解是相类的。我接连受了这两次刺激，觉得非澈底的，源源本本的和大家讨论明白，怕要闹出绝大的误解。思想上发生误解则实行上必定要引起矛盾。所以把这个题目来演讲一次是万不可少的。我自回国以后，看见国内学校里先生只管教，学生只管受教的情形，就认定有改革之必要。这种情形以大学为最坏。导师叫做教授，大家以被称教授为荣。他的方法叫做教授法，他好像拿知识来赈济人的，我当时主张以教学法来代替教授法，在南京高等师范学校校务会议席上辩论二小时，不能通过，我也因此不接受教育专修科主任名义。八年，应时报教育新思潮主干蒋梦麟先生之征，撰《教学合一》一文，主张教的方法要根据学的方法。此时苏州师范学校首先赞成采用教学法。继而“五四”事起，南京高等师范同事无暇坚持，我就把全部课程中之教授法一律改为教学法。这是实现教学合一的起源。后来新学制颁布，我进一步主张：事怎样做就怎样学，怎样学就怎样教；教的法子要根据学的法子，学的法子要根据做的法子。这是民国十一年的事，教学做合一的理论已经成立了，但是教学做合一之名尚未出现。前年，在南开大学演讲时，我仍用教学合一之题，张伯苓先生拟改为学做合一，我于是豁然贯通，直称为教学做合一。去年撰《中国师范教育建设论》时，即将教学做合一之原理作有系统之叙述。我现在要把最近的思想组织起来作进一步之叙述。教学做是一件事，不是三件事。我们要在做上教，在做上学。在做上教的是先生；在做上学的是学生。从先生对学生的关系说：做便是教；从学生对先生的关系说：做便是学。先生拿做来教，乃是真教；学生拿做来学，方是实学。不在做上用功夫，教固不成教，学也不成学。从广义的教育观点看，先生与学生并没有严格的分别。实际上，如果破除成见，六十岁的老翁可以跟六岁的儿童学好些事情，会的教人，不会的跟人学，是我们不知不觉中天天有的现象。因此教学做是合一的。因为一个活动对事说是做；对己说是学；对人说是教。比如种田这件事，是要在田里做的，便须在田里学，在田里教。游泳也是如此。游水是在水里做的事，便须在水里学，在水里教。再进一步说，关于种稻的讲解，不是为讲解而讲解，乃是为种稻而讲解；关于种稻而看书，不是为看书而看书，乃是为种稻而看书，想把种稻教得好，要讲什么话就讲什么话，要看什么书就看什么书。我们不能说种稻是做，看书是学，讲解是教。为种稻而讲解，讲解也是做，为种稻而看书，看书也是做。这是种稻的教学做合一。一切生活的教学做都要如此方为一贯。否则教自教，学自学，连做也不是真做了。所以做是学的中心，也就是教的中心。“做”既占如此重要的位置，宝山县立师范学校竟把“教学做合一”改为“做学教合一”，这是格外有意思的。

行是知之始

阳明先生说："知是行之始；行是知之成。"我以为不对：行是知之始，知是行之成。我们先从小孩子说起，他起初必定是烫了手才知道火是热的；冰了手才知道雪是冷的；吃过糖才知道糖是甜的；碰过石头才知道石头是硬的。太阳地里晒过几回；厨房里烧饭时去过几回；夏天的生活尝过几回；才知道抽象的热。雪菩萨做过几次；霜风吹过几次；冰淇淋吃过几杯；才知道抽象的冷。白糖，红糖，芝麻糖，甘蔗，甘草吃过几回，才知道抽象的甜。碰着铁，碰着铜，碰着木头，经过好几回，才知道抽象的硬。才烫了手又冰了脸，那末，冷与热更能知道明白了。尝过甘草接着吃了黄连，那么甜与苦更能知道明白了。碰着石头之后就去拍棉花球，那末，硬与软更能知道明白了。凡此种种，我们都看得清楚行是知之始，知是行之成。佛兰克林放了风筝，才知道电气可以由一根线从天空引到地下。瓦特烧水，看见蒸汽推动壶盖，便知道蒸汽也能推动机器。加利里翁在毕撒斜塔上将轻重不同的球落下，便知道不同轻重之球是同时落地的。在这些科学发明上，我们又可以看得出“行是知之始，知是行之成”。

《墨辩》提出三种知识：一是亲知；二是闻知；三是说知。亲知是亲身得来的，就是从“行”中得来的。闻知是从旁人那儿得来的，或由师友口传，或由书本传达，都可以归为这一类。说知是推想出来的知识。现在一般学校里所注重的知识，只是闻知，几乎以闻知概括一切知识，亲知是几乎完全被挥于门外。说知也被忽略，最多也不过是些从闻知里推想出来的罢了。我们拿“行是知之始”来说明知识之来源，并不是否认闻知和说知，乃是承认亲知为一切知识之根本。闻知与说知必须安根于亲知里面方能发生效力。

试取演讲《三八主义》来做个例子。我们对一群毫无机器工厂劳动经验的青年演讲八小时工作的道理，无异耳边风，没有亲知做基础，闻知实在接不上去。假使内中有一位青年曾在上海纱厂做过几天工作或一整天工作，他对于这八小时工作的运动的意义，必有亲切的了解。有人说：“为了要明白八小时工作就是这样费力的去求经验，未免小题大做，太不经济。”我以为天下最经济的事无过这种亲知之取得。近代的政治经济问题便是集中在这种生活上。从过这种生活上得来的亲知，无异于取得近代政治经济问题的钥匙。

亲知为了解闻知之必要条件已如上述，现再举一例证明说知，也是要安根在亲知里面的。

《白鼻福尔摩斯》里面有一个奇怪的案子。一位放高利的被人打死后，他的房里白墙上有一个血手印，大得奇怪，从手腕到中指尖有二尺八寸长。白鼻福尔摩斯一看这个奇怪手印，便断定凶手是没有手掌的，并且与手套铺是有关系的。他依据这个推想，果然找出住在一个手套铺楼上的科尔斯人就是这案的凶手，所用的凶器便是挂在门口做招牌的大铁手。他的推想力不能算小，但是假使他没有铁手招牌的亲知，又如何推想得出来呢？

这可见闻知，说知都是安根在亲知里面，便可见“行是知之始，知是行之成”。

在劳力上劳心

昨天我讲教学做合一的时候，曾经提及“做”是学之中心，可见“做”之重要。那么我们必须明白“做”是什么，才能明白教学做合一。盲行盲动是做吗？不是。胡思乱想是做吗？不是。只有手到心到才是真的做。世界上有四种人：一种是劳心的人；一种是劳力的人；一种是劳心兼劳力的人；一种是在劳力上劳心的人。二元论的哲学把劳力的和劳心的人分成两个阶级。劳心的专门在心上做功夫；劳力的专门在苦力上讨生活。劳力的人只管闷起头来干；劳心的人只管闭起眼睛来想。劳力的人便成了无所用心，受人制裁；劳心的人便成了高等游民，愚弄无知：以致弄成“劳心者治人，劳力者治于人”的现象。不但如此，劳力而不劳心，则一切动作都是囿于故常，不能开创新的途径；劳心而不劳力则一切思想难免玄之又玄，不能印证于经验。劳力与劳心分家，则一切进步发明都是不可能了。所以单单劳力，单单劳心都不能算是真正之做。真正之做须是在劳力上劳心。在劳力上劳心是真的一元论。在这里我们应当连带讨论那似是而非的伪一元论。一次我和一位朋友讨论本校主张在劳力上劳心，我的朋友说：你们是劳力与劳心并重吗？我说：我们是主张在劳力上劳心，不是主张劳力与劳心并重。劳心与劳力并重虽似一元论，实在是以一人之身而分为两段：一段是劳心生活，一段是劳力生活，这种人的心与力都是劳而没有意识的。这种人的劳心或劳力都不能算是真正之做。真正之做只是在劳力上劳心，用心以制力。这样做的人要用心思去指挥力量，使能轻重得宜，以明对象变化的道理。这种人能以人力胜天工。世界上一切发明都是从他那里来的。他能改造世界，叫世界变色。我们中国所讲的科学原理，古时有“致知在格物”一语，朱子用“在即物而穷其理”来解释，似乎是没有毛病的了。但是王阳明跟着朱子的话进行便走入歧途。他叫钱友同格竹，格了三天，病了。他先生便告奋勇，亲自出马去格竹，——即竹而穷竹理——

格了七天，格不出什么道理来，也就病了。他不怪他自己格得不对，反而说天下之物本无可格，所能格的，只有自己的身心。他于是从格物跳到格心，中国的科学兴趣的嫩芽便因此枯萎了。假使他老先生起初不是迷信朱子的呆板的即物穷理，而是运用心思指挥力量以求物之变化，那便不致于堕入迷途。在劳力上劳心，是一切发明之母。事事在劳力上劳心，便可得事物之真理。人人在劳力上劳心，便可无废人，便可无阶级。征服天然势力，创造大同社会，是立在同一的哲学基础上的。这个哲学的基础便是“在劳力上劳心”。我们必须把人间的劳心者，劳力者，劳心兼劳力者一齐化为在劳力上劳心的人，然后万物之真理都可一一探获，人间之阶级都可一一化除，而我们理想之极乐世界乃有实现之可能。这个担子是要教师挑的。惟独贯彻在劳力上劳心的教育，才能造就在劳力上劳心的人类，也惟独在劳力上劳心的人类，才能征服自然势力，创造大同社会。最后，我想打一个预防针以免误解，一次有一位朋友告诉我说：“你们在劳心上劳力的主张，我极端的赞成。”我说：“如果是在劳心上劳力，我便极端不赞成了。我们的主张是‘在劳力上劳心’不是‘在劳心上劳力’。”

以教人者教己

“以教人者教己”是本校根本方法之一，我们也必须说得很明白，方知它效用之大。昨天邵先生教纳税计算法，就是“以教人者教己”的例证。邵先生因为要教大家计算纳税，所以就去搜集种种材料，并把这些材料融会贯通起来，然后和盘托出，教大家计算。他因为要教大家，所以先教自己。他是用教大家的材料教自己。他年年纳税，但是总没有明白其中的内幕，今年为什么就弄得这样澈底明白呢？因为要教你们，所以他自己便不得不格外明白了。他从教纳税上学得的益处怕比学生要多得多哩。近来韩先生教武术，不是要一位同学发口令吗？这便是以教人者教己。这位同学发口令时便是以同学教同学。因为要他发口令，所以他对于这套武术的步骤就格外明了，他在发口令上学便是以教人者教己。

第三中心小学潘先生是素来没有学过园艺的，但是第三中心小学有园艺一门功课，他必得教，既然要教园艺，他对于园艺便要格外学得清楚些。他拿园艺教小学生的时候，便是拿园艺来教自己。我们从昨天起开始交际教学做。第一次轮流到的便是孙从真女士。今天有客来，便须由她招待，来宾到校必定要问许多问题，孙女士必须一一答复。但她是一位新学生，对于学校的经过历史，现在状况，及未来计划都是没有充分明了，因为要答复来宾的问题，她必须预先把这些事情弄得十分明白，才不致给来宾问倒。她答复来宾的问题时，从广义的教育看来，她便是在那儿教，来宾便是在那儿学。为了要答复来宾的问题，她自己就不得不先去弄得十分明白，这便是以教人者教己。我们平常看报，多半是随随便便的。假使我们要教小学生回家报告国家大事，那末，我们看报的时候，便不得不会精聚神了。我们这样看报，比起寻常的效率不知道要大得几多倍哩。这便是藉着小孩讲国家大事来教自己明了国家大事。这便是以教人者教己。又比如锄头舞的歌词是我做的，对于这套歌词，诸位总以为我做了之后便是十分明了了。其实不然。我拿这歌词教燕子矶小学生时，方把它弄得十分明白。以前或可以说只有七八分明白，没有十分明白，自己做的歌词还要等到教人之后才能十分明白，由此可见“以教人者教己”的效力之宏。从这些例证上我们可以归纳出一条最重要的学理，这学理就是“为学而学”不如为教而学之亲切。为教而学必须设身处地，努力使人明白；既要努力使人明白，自己便自然而然的格外明白了。

教学做合一下之教科书

生活教育与教学做合一对于书之根本态度，生活教育指示我们说：过什么生活用什么书。教学做合一指示我们说：做什么事用什么书。这两句话只是一句话的两样说法，我们对于书的根本态度是：书是一种工具，一种生活的工具，一种“做”的工具，工具是给人用的；书也是给人用的。我们对一本书的见面问，是：你有什么用处（当然是广义的用处）？为读书而读书，为讲书而讲书，为听书而听书，为看书而看书，再不应该夺取我们宝贵的光阴。用书必有目的，遇到一本书我们必须问：你能帮助我把这件事做得好些吗？你能帮助我过一过更丰富的生活吗？我们用书，有时要读，有时要讲，有时要听，有时要看；但是读讲听看都有一贯的目的，这目的便是他们对于“用”的贡献。在诗的学校里有一首诗描写我们对于书的总态度[1]：

用书如用刀；
不快便须磨。
呆磨不切菜，
何以见婆婆？

中国教科书之总批评，我们试把光绪年间出版的教科书和现在出版的教科书比较一下，可以看出一件惊人的事实，这事实便是三十年来，中国的教科书在枝节上虽有好些进步，但是在根本上是一点儿变化也没有。三十年前，中国的教科书是以文字做中心，到现在，中国的教科书还是以文字做中心。进步的地方：从前是一个一个字的认，现在是一句一句的认；从前是用文言文，现在是小学用白话文，中学参用白话文与文言文；从前所写的文字是依着忠君，尊孔，尚公，尚武，尚实的宗旨，现在所写的文字是依着三民主义的宗旨。但是教科书的根本意义毫未改变；现在和从前一样，教科书是认

[1] 见小朋友书店出版之《师范生》第一二期。

字的书，读文的书罢了。从农业文明渡到工业文明最重要的知识技能，无过于自然科学。没有真正可以驾驭自然势力的科学，则农业文明必然破产，工业文明建不起来，那是多么危险的事啊！但是把通行的小学常识与初中自然教科书拿来审查一番，你立刻发现它们只是农学的识字书，只是科学的论文书，这些书使你读到胡子白也不能叫你得着丝毫驾驭自然的力量，这些教科书不教你在利用自然上认识自然。它们不教你试验，不教你创造。它们只能把你造成一个自然科学的书呆子！国民党以党义治国；党义，从国民党的观点看来，又是何等重大的一门功课呀！果然，党军既到南京之后，没有一家书店不赶着编辑党义教科书，党政府看了这些教科书也以为教育从此可以党化，小孩子个个都可以成为三民主义的信徒了。但是把这些书仔细看一看，不由你又要惊讶了，你立刻发现它们只是党义识字书，只是党义论文书，它们教你识民权的字，不教你拿民权；教你读民生的书，不教你干民生的事。在这些书里，你又可以看出编辑人引你开倒车开到义和团时代以前。它们不教小朋友在家里，校里，村里，市里去干一点小建设，小生产以立建国之基础，却教小孩子去治国平天下，这不是像从前蒙童馆里的冬烘先生拿《大学》,《中庸》把小朋友当小鸭子硬填吗？照这样干法，我可以断定，小孩子决不会成为三民主义有力量的信徒，至多，他们可以成为三民主义的书呆子。

中国的教科书虽然以文字做中心，但是所用的文字不是第一流的文字。山德孙先生在昂多学校里就不用教科书。他批评英国的教科书为最坏的书。中国初中以下的教科书不比英国的好。我读了中国出版的教科书之后，我的感想和山德孙先生差不多。我不能恭维中国初中以下的教科书是小孩子值得读的书。在我的中国自然科学教科书之解剖一篇论文中，我将毫不避讳的罗列各家教科书之病菌——放在显微镜下请大家自己去看。我现在只想举一个普通的例子来做个证明，诸位读了下面三节教科书作何感想？

甲家书馆	乙家书馆	丙家书馆
大狗叫，	小小猫，	小小猫，
小狗跳。	快快跑，	小小猫。

叫一叫，　小小猫，快快跑，

跳两跳。　快快跑。快快跑。

若不是因为每个小学生必得有一本教科书，每本教科书必得有书馆编好由教育部审定，谁愿意买这种有字有音而没有意义的东西呀？请诸位再看刘姥姥赴贾母宴会在席上低着头引得大家哄堂大笑的几句话：

老刘，老刘，

食量大如牛，

吃了老母猪，

不抬头！

这样现成的好文学，在以文字为中心的教科书中竟找不着一个地位，而“大狗叫，小狗跳”的无意义的文字，居然几百万部的推销出去，所以中国教科书虽以文字为中心，却没有把最好的文字收进去。这是编书人之过，不是文字中心之过。

中国的教科书，不但用不好的文字做中心，并且用零碎的文字做中心，每课教几个字，传授一点零碎的知识。学生读了一课，便以为完了。再也没有进一步追求之引导。我们读《水浒》,《红楼梦》,《鲁滨孙飘流记》一类小说的时候，读了第一节便想读第二节，甚至于从早晨读到夜晚，从夜晚读到天亮，要把它一口气读完了才觉得痛快。中国的教科书是以零碎文字做中心，没有这种力量。有人说，中国文人是蛀书虫，可是教科书连培养蛀书虫的力量也没有。蛀书虫为什么蛀书？因为书中有好吃的东西，使它吃了又要吃。吃教科书如同吃蜡，吃了一回，再不想吃第二回，连蛀书虫也养不成！可是，这也是编书人不会运用文字之过，不是文字中心之过。

文字中心之过在以文字当教育，以为文字之外别无教育。以文字做中心之教科书，实便于先生讲解，学生静听。于是讲书，听书，读书便等于正式教育，而占领了几乎全部之时间。它使人坐而言，不使人起而行。教育好比是菜蔬；文字好比是纤维；生活好比是各种维他命（Vitamin）。以文字为中心而忽略生活的教科书，好比是有纤维而无维他命之菜蔬，吃了不能滋养体力。中国的教科书，是没有维他命的书。它是上海上等白米，吃了叫人害脚气病，寸步难行。它是中国小孩子的手铐，害得他们双手无能。它是死的，假的，静止的。它没有生命的力量。它是创造，建设，生产的最大障碍物。它叫中国站在那光望着农业文明破产而跳不到工业文明的对岸去。请看中国火车行了几十年而第一个火车头今年才造起来，这是中国科学八股无能之铁证！而这位制造中国第一个火车头之工程师，十分之九没有吃过上海白米式的科学教科书，或者也吃过，后来又吃了些糠秕，才把脚气病治好，造了这部特别难产的火车头。以文字做中心的教科书，在二十世纪里是产生不出力量，最多，如果用好的文字好好的编，也不过能够产生一些小小书呆子，小小蛀书虫。

假使再来一个秦始皇把一切的教科书烧掉，世界上会失去什么？

大书呆子没有书教，小书呆子没有书读，书呆头儿出个条子："本校找不到教科书，暂时停课。"

于是，有的出去飘海游历，也许会成达尔文；有的在火车上去卖报做化学实验，也许会成爱迪生；有的，带着小朋友们上山游玩，也许会成柯斯忒；有的回去放牛，砍柴，捞鱼，种田，缫丝，多赚几口饭儿吃，少几个吃饭不做事的书呆子，多几个生产者，建设者，创造者，发明者，大概是这位秦始皇第二的贡献吧。

生活教育与教学做合一之总要求，我们要活的书，不要死的书；要真的书，不要假的书；要动的书，不要死的书；要用的书，不要读的书。总起来说，我们要以生活为中心的教学做指导，不要以文字为中心的教科书。我要声明在先，我并不拘泥于文字之改变。倘使真的拿生活为中心使文字退到工具的地位，从死的，假的，静的，读的，一变而为活的，真的，动的，用的，那末就称它为教科书，我也不反对；倘使名字改为生活用书或教学做指导，还是以文字为中心，便利先生讲解，学生静听，而不引人去做，我也不能赞成。但是，如果能够做到名实相副，那就格外的好了。

生活用书或教学做指导，是怎样编法呢？最先须将一个现代社会的生活或该有的力量，一样一样的列举，归类组成一个整个的生活系统，即组成一个用书系统。例如：

要培养的生活力	要用的书
（一）防备霍乱	（一）防备霍乱指导
（二）防备伤寒	（二）防备伤寒指导
（三）防备天花	（三）防备天花指导
（四）防备感冒	（四）防备感冒指导
（五）防备肺痨	（五）防备肺痨指导
（六）防备梅毒	（六）防备梅毒指导
（七）打篮球	（七）打篮球指导
（八）踢球	（八）踢球指导
（九）选择食物	（九）选择食物指导
（一〇）选择衣料	（一〇）选择衣料指导
（一一）种菜	（一一）种菜指导
（一二）种麦	（一二）种麦指导
（一三）种树	（一三）种树指导
（一四）养蚕	（一四）养蚕指导
（一五）养鸡	（一五）养鸡指导
（一六）养鱼	（一六）养鱼指导
（一七）养鸟	（一七）养鸟指导
（一八）纺纱	（一八）纺纱指导

（一九）织布	（一九）织布指导
（二〇）扫地	（二〇）扫地指导
（二一）调换新鲜空气	（二一）调换新鲜空气指导
（二二）用风车水	（二二）用风车水指导
（二三）制造抽气唧筒	（二三）制造抽气唧筒指导
（二四）制造气压表	（二四）制造气压表指导
（二五）用空气压力钻钢	（二五）用空气压力钻钢指导
（二六）用淡气做肥料	（二六）用淡气做肥料指导
（二七）用太阳光烧饭	（二七）用太阳光烧饭指导
（二八）用太阳光杀菌	（二八）用太阳光杀菌指导
（二九）用太阳光照相	（二九）用太阳光照相指导
（三〇）用水推磨	（三〇）用水推磨指导
（三一）用水发电	（三一）用水发电指导
（三二）用水化铁	（三二）用水化铁指导
（三三）用磁石发电	（三三）用磁石发电指导
（三四）造罗盘	（三四）造罗盘指导
（三五）用电池举铜铁	（三五）用电池举铜铁指导
（三六）用煤黑油取原料	（三六）用煤黑油取原料指导
（三七）造汽车	（三七）造汽车指导

（三八）造蒸汽机	（三八）造蒸汽机指导
（三九）用电发光	（三九）用电发光指导
（四○）用电推车	（四○）用电推车指导
（四一）用电谈话	（四一）用电谈话指导
（四二）用电相见	（四二）用电相见指导
（四三）用泥造磁器	（四三）用泥造磁器指导
（四四）造屋	（四四）造屋指导
（四五）造桥	（四五）造桥指导
（四六）造船	（四六）造船指导
（四七）造纸	（四七）造纸指导
（四八）造飞机	（四八）造飞机指导
（四九）用显微镜看细菌	（四九）用显微镜看细菌指导
（五○）用望远镜看天象	（五○）用望远镜看天象指导
（五一）编剧	（五一）编剧指导
（五二）演戏	（五二）演戏指导
（五三）布景	（五三）布景指导
（五四）唱歌	（五四）唱歌指导
（五五）画水彩画	（五五）画水彩画指导
（五六）画油画	（五六）画油画指导

（五七）写诗文　　　　（五七）写诗文指导
（五八）雕刻　　　　　（五八）雕刻指导
（五九）弹琴　　　　　（五九）弹琴指导
（六〇）说话　　　　　（六〇）说话指导
（六一）恋爱　　　　　（六一）恋爱指导
（六二）治家　　　　　（六二）治家指导
（六三）生育　　　　　（六三）生育指导
（六四）限制教育　　　（六四）限制教育指导
（六五）团体自治　　　（六五）团体自治指导
（六六）掌民权　　　　（六六）掌民权指导
（六七）师生创校　　　（六七）师生创校指导
（六八）创造富的社会　（六八）创造富的社会指导
（六九）人类互助　　　（六九）人类互助指导
（七〇）创造五生世界　（七〇）创造五生世界指导[1]

以上七十种生活力和教学做指导，不过是我个人随手所举的例子。把它们归起类来（一）至（一〇）属于康健生活；（一一）至（二〇）属于劳动生活；（二一）

[1] 五生世界即少生，好生，贵生，原生，共生之世界，我有专篇叙述建立五生世界之理论，不久在《师范生》上发表。

至（五〇）属于科学生活；（五一）至（六〇）属于艺术生活；（六一）至（七〇）属于社会改造生活。我想这些例子，不过是全部生活力之少数，内中之概括的还应该细分。如养鱼可分养金鱼，养青鱼，制造相生水族池等等。统统算起来，重要的总在三千种以上。我们姑且可以普通的说，我们有三千种生活力要培养，即有三千种教学做指导要编辑。这些生活力，有些是很小的小孩子便应有，有些是很成熟的人才可以得；有些是学了就可以变换，有些是要继续不断的干；有些是一人能做，有些非多人合作不办；有些是现代人共同所需，有些是各有所好，听人选择。专家依性质学力把他们一一编起来。并编一些建在具体经验上面融合贯通的理论，便造成整个的用书的系统，帮助着实现那丰富的现代生活。我们还要随着学术进步，继续修改扩充，使用书继长增高的进步，帮助着生活继长增高的向前向上进。

照这样看来，教学做合一的理论不是不要书；要用的书的数目之大，比现在的教科书要多得多。它只是不要纯粹以文字来做中心的教科书，因这些书是木头刀切不下菜来。过什么生活用什么书。做什么事用什么书。

不用书，即用书而用得不够，用得不当，都非教学做合一的理论所允许的。

教学做指导编得对不对，好不好，可以下列三种标准判断它。

（一）看它有没有引导人动作的力量，看它有没有引导人干了一个动作又要干一个动作的力量。中国人的手中了旧文化的毒是已经瘫了，看它能否给他打一针，使一双废手变成一双开天辟地的手。我们要看它能否把双料少爷的长指甲剪掉，能否把双料小姐的手镯戒指脱掉，能否把活活泼泼的小孩们的传统的几十斤重的手铐卸掉，使八万万只无能的手都变成万能的手。

（二）看它有没有引导人思想的力量，看它有没有引导人想了又想的力量。中国文人的头脑做了几千年的字纸篓；中国农人女人的头脑做了几千年的真空管。我们现在要请大家的头脑出来做双手的司令官。我们要头脑出来监工。我们不但是要做，并且要做得很好。如何可以做得好，做得比昨天好，这是头脑的天职。我们遇了一本书便要问它是否给人的头脑全权指导一切要做的事。

（三）看它有没有引导人产生新价值的力量，看它有没有引导人产生新益求新的新价值的力量。我在乡村教师上曾经写过十几首诗，描写一位乡村教师的生活，内中有一首是：

人生两个宝：
双手与大脑。
宁做鲁滨孙，
单刀辟荒岛。

中国教育之通病，是教用脑的人不用手，不教用手的人用脑，所以一无所能。中国教育革命的对策是使手脑联盟，结果是手与脑的力量都可以大到不可思议。手脑联盟，则污秽的垃圾可以用来点灯烧饭，窒人的淡气可以用来做养人的肥田粉，煤黑油里可以取出九十种的颜料，一粒种子可以长成几百粒谷，无饭大家饿的穷国可以变成有饭大家吃的富社会。只要头脑子命令双手拿起锄头，锯子，玻璃管，电动机去生产，建设，试验，创造自然是别有天地了。

生活用书的体裁内容也不可一律，大致说起来，我有下列的建议：

（一）做的目标。

（二）做的材料。

（三）做的方法。

（四）做的工具。

（五）做的理论。

（六）从做这事引导人想到做那事。

（七）如做的事与时令有关，便要有做的时令。

（八）如做的事与经济有关，便要有做的预算。

（九）如做的事须有图径之指示，便要有做的图。

（十）如做的事须多人合作，便要有做的人的组织。

（十一）如做的事须多方参考，便要有做事的参考书籍。

（十二）如做的事与别的事有多方的关系，便要有做的种种关系上的说明。

（十三）在做上学的人，可引导他记载做的过程，做的结果，做上发生的问题与心得。

（十四）在做上教的人，可引导他指示进行考核成绩。

这十四条不是像从前五段教授样要人家刻印板的遵守的。如果你能把它们一齐打破，天衣无缝的写成一本可用的书也未为不可，或者竟是更为可贵。《鲁滨孙飘流记》是一部小说，也是一部探险与开创的教学做指导。歌德失恋写《少年维特之烦恼》，创造一个维特去替死，那末歌德的恋爱史与《少年维特之烦恼》当作一部恋爱指导用也很合宜。同样，《水浒》是一部打抱不平的指导。自然科学教学做指导，能写到法希尔的几部顶好著作那样好，减少一些闲话，增加一点小孩子自己做的机会也就很好了。最要紧的是著书人独出心裁，若求一律，反而呆板了。

初进学校的学生，要他自用教学做指导，当然是不可能。但是他虽然认不得字，话语听得懂，先生不能教他吗？年长的同学不能助他吗？初年的学生，多数的生活力不能从文字上去取得，若受文字的限制生活便枯燥无味。故初年的教学做指导，除说话（即国语）一部门外，都可编为先生用书，先生在做上教时所用的书，那末这个困难便没有了。即就说话一门说，也不必太拘于生字之多少。只要是小孩子爱说的话，便多几个字也不要紧，若是头一课只限于四五个字，编不成好听的话，那末，比十几个字还难认。认字与写字也不必同时兼顾，若认的字一定要写，那末，又只好限于几个字，而流于枯燥了。

我想要使这个用书的计划实现，必须有下列六种条件：

（一）各门专家中须有几位去接近小孩子，或竟毅然去当几年中小学教员，一面实验，一面编辑几部教学做指导。

（二）现在接近小孩子的中小学教师，须有许多位，各人开始研究一门科学，待研究有得可以编辑几部教学做指导。

（三）现在教科书的编辑者有志编辑生活用书，如缺少某种准备，专科学术或儿童经验，亦宜设法补足，然后动手编辑。

（四）现在商务印书馆，中华书局，世界书局每年大部分收入是从小朋友那里来的，应该多下点本钱，收罗各国成人儿童用书（不是教科书）和工具聘请上列三种人才，为小朋友多编几部可用的好书。

（五）教育行政当局，从中央直到校长。该给教员们以试验，或选择书本之自由。现在行政方面的趋势是太一律，太呆板，若不改弦更张，实无创造之可能。

（六）全民族对于中国现代的无能的教育，该有觉悟，对于教学做合一之理论，该使之普遍实现，若再因循苟且，则可以救国之教育，就变成亡国的催命符。到了那时，虽悔也来不及了。如果大家从此下一个决心，在头脑指挥之下，把双手从长袖里伸出来，左手拿着科学，右手开着机器生产，建设，创造，必定能开辟出一个新天地来。荣枯安危存亡之故，只在念头之一转和双手之一动，用不着到远处去求啊！

中国师范教育建设论

教什么？怎样教？教谁？谁教？这是师范学校的几个基本问题。要想把师范学校办得好，必须把这些问题弄明白。

师范学校首先要问的是：教什么？这是教材问题。施教的人不能无中生有，他必得要运用环境所已有的事物去引起学生之活动。所以遇了“教什么”这个问题，我们暂时可以下一句答语：有什么，学什么；学什么，教什么；教什么，就拿什么来训练教师。但是世界上有的东西，无计其数；所有的未必是所需要的。因此，我们姑且又要加上一句答语：要什么，学什么；学什么，教什么；教什么，就拿什么来训练教师。

所有和所要都知道了，我们立刻发生教法问题。我们要接着问一问：怎样教？教的法子要根据学的法子；

学的法子要根据做的法子。教法，学法，做法是应当合一的。我们对于这个问题所建议的答语是：事怎样做就怎样学；怎样学就怎样教；怎样教就怎样训练教师。

教什么和怎样教决不是凌空可以规定的。它们多包含“人”的问题。这问题就是：教谁？人不同则教的东西，教的方法，教的分量，教的次序都跟着不同了。我们要晓得受教的人在生长历程中之能力需要，然后才能晓得要教他什么和怎样教他；晓得了要教他什么和怎样教他，然后才晓得如何去训练那教他的先生。

预备要做先生的是那种人？他对于教师职业的兴味，才能，如何？他充当某种教师是否可以胜任愉快？现在实际在那儿当教师的是谁？师范学校所期望于它所训练的人才有多少能做适当的教师？这也是师范学校要考虑的问题。我们的建议是：谁在那儿教，谁欢喜教，谁能教得好就应当训练谁。

就上面所说的，总起来看，我们知道师范学校，是要运用环境所需的事物，归纳于它所要传播的那种学校里面，依据做学教合一原则，实地训练有特殊兴趣才干的人，使他们可以按着学生能力需要，指导学生享受环境之所有并应济环境之所需。这个定义包含三大部分：一是师范学校本身的工作，二是中心学校的工作，三是环境里的幼年人生活。这三大部分应当发生有机体的关系，使得他们的血脉可以流通，精神可以一贯。他们中间不当有丝毫的隔膜。一看这个定义，我们立刻晓得师范学校的出发点就是它所要传播的中心学校；中心学校的出发点就是环境里的幼年人生活，由此我们也就可以明白建设师范教育之历程。

环境里的幼年人生活既是中心学校的中心，我们首先就要把它弄个明白，我们要晓得幼年人在生长历程中有什么能力，有什么需要。我们虽不能完全知道，但是学者已经研究出来的，我们必须充分明了。幼年人不是孤立的，他是环境当中的一个人。环境对于幼年人的生活有两种大的力量。一是助力。自然界的光线、空气、食物、饮料在常态之下都是扶助人类生长的东西。社会里的言语，文字，真知，灼见，以及别人的互相提携也都有扶助我们生长的作用。二是阻力。例如狂风，暴雨，水患，旱灾，虫害种种都是自然界与人为难的东西。社会方面的贪官，污吏，劣绅，土棍，盗贼，以及一切不良的制度风俗也是我们生长的挡路物。可是阻力倘不太大，可以化为助力。逆境令人奋斗，生长历程中发生了困难才能触动思想，引起进步。人的脑袋就是这样长大的，文明也是这样进化的。我们应当运用自然界和社会界的助力阻力去培植幼年人的生活力，使他可以做个健全分子去征服自然改造社会。因此，我们又要问自然界与社会界对于幼年人的生长有什么助力，有什么阻力？他们对于幼年人生长的贡献是什么？他们有什么缺憾要人力补天工之不足？一个环境对于幼年人生长之助力，阻力，贡献，缺憾，要具体的分析开来才能指导教育的实施。倘使囫囵吞枣，似乎没有多大用处。分析出来的具体事实必定是整千整万，学校自然不能完全采纳进去。所以进一步的工作就是估量每件事实的价值。价值估量之后再作选择的工夫，把价值最低的除开，需要可缓的除开，学校不必教不能教的除开，留下来的容纳到学校里去，编成教材，制为课程，佐以相当设备，配以相当程序，使教师指导学生脚踏实地的去做去学。这样一来，中心学校就可以办成了。这种学校是有根的：它的根安在环境里，吸收环境的肥料，阳光，化作自己的生命；所以它能长大，抽条，发叶，开花，结果。这种学校是与自然生活，社会生活联为一气的。它能适应环境的生活，也能改造环境的生活。它是本地的土壤里产生出来的，它自能在相类的环境里传布。我们可以祝它说："恭喜你多福，多寿，多儿子；儿子又生孙；孙又生儿子；子子孙孙生到无穷期，个个都像你，个个胜过你。"中心学校有了办法，再办师范学校。师范学校的使命，是要运用中心学校之精神及方法去培养师资。它与中心学校的关系也是有机体的；也是要一贯的。中心学校是它的中心而不是它的附属品。中心学校也不应以附属品看待自己。正名定义，附属学校这个名字要不得。实习学校的名字好得多，但是这个名字包含了"思想与实习分家"的意味，也不是最好的。师范学校的各门功课都有专业的中心目的，大部分都应当与中心学校联串起来。例如教育学，心理学等等功课若是附加的性质，决不能发生很大的效力。这种功课应当与实地教学镕为一炉，大部分应当采取理科实验指南的体裁以谋教学做之合一。我们进行时对于师范生本身之能力，与需要当然要同时顾到。因为师范生将来出去办学的环境与中心学校的环境必定不能一模一样；要想师范生对于新环境有所贡献，必得要同时给他们一种因地制宜的本领。

师范毕业生得了中心学校的有效办法和因地制宜的本领，就能到别的环境里去办一个学校。这个学校的精神与中心学校是一贯的，但不是刻印板的，不是照样画葫芦的，它要适应它的特殊环境，也要改造它的特殊环境。

这个学校对于学生所要培植的也是生活力，它的目的是要造就有生活力的学生，使得个个人的生活力更加润泽丰富强健，更能抵御病痛，胜过困难，解决问题，担当责任，学校必须给学生一种生活力使他们可以单独或共同去征服自然，改造社会。

我们这里所建议的步骤是一气呵成的：自然社会里的生活产生活的中心学校；活的中心学校产生活的师范学校；活的师范学校产生活的教师，活的教师产生有生活力的国民。

这个建设历程，从头到尾，都是息息相通的，倘使发现不衔接，不联络，不适应的地方到处可以互相参考纠正，随改随进。所以中心学校随着自然社会生活继续不断的改进，师范学校随着中心学校继续不断的改进，地方学校随着师范学校继续不断的改进，自然社会生活又随着地方学校继续不断的改进。

上述师范教育的建设历程，倘用下图表示，更能一目了然：

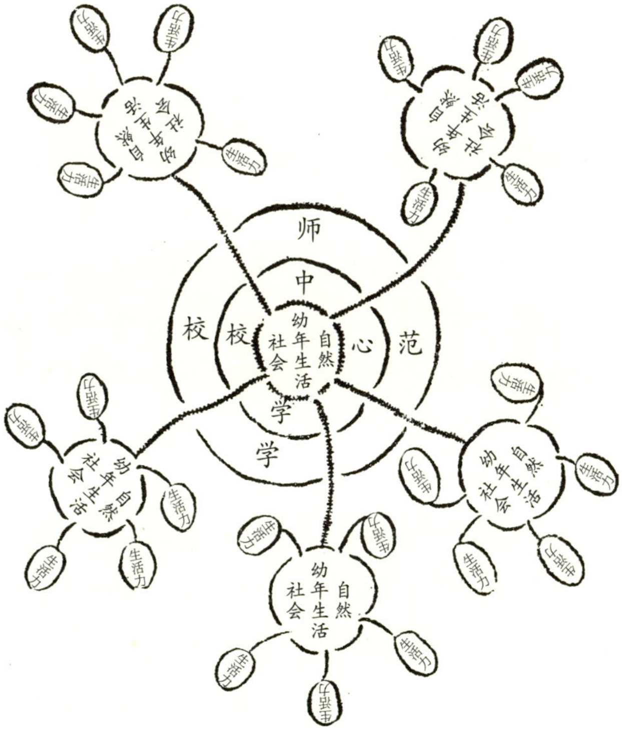

说明：

自然社会里的幼年生活是中心学校之中心。

中心学校是师范学校之中心。

一，二，三，四，五，是师范毕业生办的学校。

生活力代表师范毕业生所办学校培养之学生。

训练初级师范教员之高等师范或师范大学，可于师范学校外加一圈，并类推。

师范学校既以中心学校为中心，那末有那一种的中心学校就有那一种的师范学校；有幼稚园为中心学校，就可以办幼稚师范；有小学为中心学校，就可以办初级师范；有中学或师范为中心学校，就可以办高等师范或师范大学；有各种职业机关或学校做中心学校，就可以办各种职业师范。

师范学校既以中心学校为中心就得跟着中心学校跑。凡有好的中心学校的地方都可以办个师范；凡是没有好的中心学校的地方都可以取消师范的招牌，否则就应当根本改造中心学校和各方面的关系，使它名实相副。师范学校人数也可不拘，看中心学校的容量而定。它能容几个人就是几个人，不必勉强，一个师范可以有几个中心学校；一个中心学校也可以做几个师范学校的公共中心。例如一个乡村师范可以有几个单级学校，几个复式学校，几个单式学校做它的中心学校。又例如一个好的中心小学里可以容纳初级中学，高级中学，甚至于大学程度的师范生在这里学习。初级中学程度的人在这里学习之后可以去当初小的教师，高级中学程度的人在这里学习之后可以去当高小的教师，大学程度的学生在这里学习之后可以去办初级师范或县立师范。

中心学校的成立有两种方式都可以行。一是另起炉灶来创设；二是找那虚心研究，热心任事，成绩昭著并富有普遍性之学校特约改造，立为中心学校。这两种方式可以按照情形酌量采择施行。

有了中心学校，就可以在中心学校左近建筑或租借房屋开办师范班或师范学校。收录师范生可有两种办法。一是本校招收新生始终其事，予以完全训练，这种办法规模较大，需用人才设备，经费也较多。二是招收他校将毕业而有志充当教师之学生或有相当程度之在职之教职员加以相当时期之训练；照这种办法，师范部只须准备宿舍，图书，讨论室，指导人才及所需之其他设备，就可开办。这是比较轻而易举的。毕业后发给修业证书，俟办成有生活力之学校始发给正式毕业证书。原肄业学校如因本校没有师范训练，亦得依照规定手续保送相当学生来此学习。毕业证书可由两校合发。这种种办法各级师范都可适用。

上面所说的是建设中国师范教育的根本原理与实施概要。中国师范教育前清办理失策，以致师范学校与附属学校隔阂，附属学校与实际生活隔阂。我们所以有这种隔阂，是因为我们的师范教育或是从主观的头脑里空想出来的。或是间接从外国运输进来的，不是从自己的亲切经验里长出来的。这种师范教育倘不根本改造，直接可以造成不死不活的教师，间接可以造成不死不活的国民。有生活力的国民，是要靠着有生活力的教师培养的；有生活力的教师，又是要靠着有生活力的师范学校训练的。中国今日教育最急切的问题，是旧师范教育之如何改造，新师范教育之如何建设。国家所托命之师范教育，是决不容我们轻松放过的。我们很希望全国同志会聚精神的来对付这个问题。

艺友制师范教育答客问

艺友制是什么？艺是艺术，也可作手艺解。友就是朋友，凡是用朋友之道教人学做艺术或手艺便是艺友制。

艺友制如何可以应用到师范教育上来？师范教育的功用是培养教师，教师的生活是艺术生活。教师的职务也是一种手艺，应当亲自动手去干的。那些高谈阔论，妄自尊大，不屑与三百六十行为伍的都不是真教师。学做教师有两种途径：一是从师，二是访友，跟朋友操练比从师来得格外自然，格外有效力。所以要想做好教师，最好是和好教师做朋友。凡用朋友之道教人学做教师，便是艺友制师范教育。

艺友制是如何发现的？发现艺友制之起因有二：一是由于感觉现行师范教育之缺憾；二是由于感觉各种行业施行艺徒制之实效。现行师范教育将学理与实习分为二事，简直是以大书呆子教小书呆子，所出的人才和普通中学不相上下。国内少数优良小学全凭天才做台柱。至于师范教育的贡献更是微乎其微，大多数受过师范训练的人，至今办不出一个可以令人佩服的学校，岂不是大可叹息的事吗？我们再看看木匠徒弟所做的桌子，裁缝徒弟所做的衣服，漆匠徒弟所做的牌匾，不由人要觉得十分惭愧的。艺友制便是这种叹息惭愧的土壤里面发生出来的一根嫩苗。现在中国职业界有一个不好的趋势，这趋势便是以仿效学校为荣。所以有汽车学校，理发学校，洗衣学校，这种学校，那种学校，不一而足，谁知道一染了学校气，便是失败之母。我可以断定黎锦晖、黎明晖办的中华歌舞团，比他们办的中华歌舞学校效力要大得多。三百六十行虽然不可跟学堂学，但是学堂实在应当跟三百六十行学才好。我们这艺友制，便是要跟三百六十行学点乖，好去培植些真人才。

那末艺友制是否要起而代替师范学校？不是的，师范应当根本改造，不应当废除，现在各省归并师范的潮流，是欠深谋远虑的。不过我们主张的艺友制是和师范学校相辅而行的，不是拿来代替师范学校的。

徒弟制既行之有效，何不爽爽快快的就称他为艺徒制的师范教育？艺徒制虽是有效力，但也有缺点。徒是步行的意思，倘若师傅引着徒弟一同步行，当然是很好的，但是有些师傅坐着汽车要徒弟跟着跑，那就不好了。平常工匠待艺徒如仆役，秘诀心得又不肯轻传，以致事业不能进步，光阴多耗于没有教育价值之工作，所以艺徒的名词，最好不再沿用。换一个友字，则艺徒的好处一概吸收，坏处一概避免了。

艺友制研究是使用什么方法？艺友制的根本方法是教学做合一：事怎样做便怎样学；怎样学便怎样教。教的法子根据学的法子；学的法子根据教的法子。先行先知的在做上教；后行后知的在做上学。大家共教共学共做，才是真正的艺友制；惟独艺友制才是澈底的教学做合一。

什么地方能行艺友制？凡学校有一艺之长的教师便可招收艺友，从幼稚园以及到研究所，只要这个条件符合，都可试行艺友制。假使中国现有之二十万学校个个有把握，便个个可收艺友，个个可做训练教师之中心，每年训练一位，只要五年便可解决普及四年小学教育所要之师资问题。但是一百个学校当中至少有九十个是没有把握，我们的责任是要使没有把握的学校变为有把握的学校，使有把握的学校个个都变做训练教师的一个小小的中心。

艺友制的理论，看来似乎是站得住，但是有没有地方实行过，结果好不好？我们考察乡村学校后，觉得燕子矶小学，尧化门小学，开原小学的办法很可为他校取法，便于前年与这几个学校约设铺位，使远道来校参观的人可以留校作较长时期之研究。这便是艺友制之发端。后来江问渔先生要在板浦创办小学便派了他的侄儿江君希彭到燕子矶小学过了三个月的生活，很得实益。这是第一个具体的例子。去年秋季燕子矶幼稚园成立，丁夫人和两位女毕业生随着张徐两指导学办乡村幼稚园，进步也很快。至此，我们对于这种办法发生了极大的希望。我们深信这种办法不但是最有效力之教师培植法，并且是解除乡村教师寂寞和推广普及教育师资之重要途径。这时，我们还找不到一个更适当的名词，只好迁就称它为徒弟制；但是总觉得徒弟制这个名词不能完全表示我们的真意，所以迟迟的不愿发表。今年一月五日早晨，忽然想出艺友制三字来代表这种办法，大家都欢喜得很。现在南京六校已经联合开始招收艺友，市教育局陈鹤琴课长并拟在市立实验小学及幼稚园中试行。就以往结果观察，我们以为只要有人负责指导，艺友制是值得一试的。

新大学——大众的大学

新大学是什么？新大学是大众的学府。

《大学》里说："大学之道，在明明德，在亲民，在止于至善。"这是从前的"大学之道"。新的大学之道就不同了，依照新的眼光来看，它变成了"大学之道，在明大德，在亲大众，在止于大众之幸福"。

什么是大德？大德是大众之德。大众之德有三：一是觉悟；二是联合；三是争取解放。明，即明白，要教大众自己明白大众之德是这样。

"亲大众"是与大众亲近，钻进大众的队伍里去跟大众学而后教大众自新。大众本来是可以明白"大众之德"，但为天命之说和别的迷信所麻醉，把自己弄得糊里糊涂，新大学之任务是要教大众在真理的大海里洗个澡，天天洗，一世洗到老，使得自己的头脑常常是清清楚楚的，认识痛苦之来源和克服痛苦之路线。“止”，是瞄准的意思。新大学的一切课程设施，都要对着大众的幸福瞄准，为大众争取幸福所必需的就拿来教人，所不需的就不拿来教人。

从来大学里所造出来的人才有两种：一种是不肯为大众做事，我曾经为这种人写了一幅小照：

滴大众的汗；
吃大众的饭；
大众的事不肯干；
架子摆成老爷样；
不算是好汉！

第二种人是代替大众做事，但野心勃勃，想要一手包办，甚至不许大众自己动手来干，这样的人我们也是反对的：

大众滴了汗；
大众得吃饭；

大众的事大众干；

若想一个人包办；

不算是好汉。

新大学要培养的不是这种人，它要培养和大众共同做事的人才，如果它也免不了要培养领导人才的话，它是要培养愿意接受大众领导而又能领导大众的人才，说得正确些，它是要培养大众做大事。

还有一种时髦大学，好像是我所说的新大学，而实在是和我说的正相反，他们的作风，一动手就是圈它几千亩地方，花它几百万块钱，盖它几座皇宫式的学院，我参观了璐珈山武汉大学之后，有人问我作何感想？我说如果我有这笔款，我用款的步骤是有一些不同：第一步，这笔款用来开办大众大学，足够培养五百万大众帮助收复东北；第二步，东北收复之后，假使还有这样多款子，我想用发展一些适合国民经济的工业；第三步，工业稍有发展，又积下这么多的款子，我还不能建造皇宫的学府，是必须盖些大众的住宅，使无家可归的人可以进来避避风，躲躲雨；第四步，等到一切穷苦无告的人都可以安居乐业了，那时大众一定要勉强我盖几座皇宫式的学府，我大概是可以马马虎虎的答应了。

那末，新大学就不要校舍吗？要是要的，没有也无妨。茅草棚虽小，足够办大学。

新大学是大众大学，新大学是茅棚大学，新大学是露天大学。

民族解放大学

你一看见“大学校”三个字，或者要疑心我想谈一谈“中央大学”一类的学府，其实我心里所想说的并不是这样的学府，而是比这样学府要大二三十万倍的大学校。

这个大学校，自二十四年十二月九日起，已经开学，还没有取名字，我姑且送它一块校牌，叫做“民族解放大学校”。

这个大学校没有围墙，万里长城还嫌太短，勉强的说，现在中华民国的国界就算是我们这个大学校的“四至”。

它也用不着花上几百万去建造武汉大学那皇宫一般的校舍。工厂，农村，店铺，家庭，戏台，茶馆，军营，学校，庙宇，监牢都成了这个大学校的数不清的分校。

连坟墓都做了我们的课堂。谁能说庙行的无名英雄墓和古北口的支那勇士墓不是我们最好的课堂啊?

并且它没有校长。的确，一直到现在，我们还没有找到这个校长，大概这校长怕不是一个人做得起来，照趋势看来恐怕是要由四万万人合做一个集体的校长，或是由大家的公意产生一个校长团。

它的教师多着咧！前进的大众，前进的小孩，前进的知识分子，都有资格做这大学校的导师。学生们学得一点真理，立刻就负了教人的义务，也立刻成了先生了。广义的说起来，是四万万人都是先生。

它的学生也是一样的多，顶少也有四万万在这所大学校里，大家共同追求真理，活到老，学到老，教到老，干到老，团到老。

我说四万万人这句话是有毛病。(一)因全中国的人是没有正确的统计。(二)因少数汉奸卖国贼必得开除出去。(三)因我们不能关起国门来办教育，这个大学校的国外学生，同学，导师，谁能数得清呢?

学校虽大，功课只有一门，这门功课叫“民族解放教学做”。简单一点，它叫做“救国教学做”。先生教什么？教救国。学生学什么？学救国。教与学都以做为中心。先生要在救国的行动上教救国，学生要在救国的行动上学救国，这样才是真正的救国教学做，这样才是真正的民族解放教学做。

这门伟大的功课当然有许多细目可以分出来。例如政治、经济、军事之演讲，作战防御技术之操练，医药救护之操练，交通工具之操练，戏剧歌唱之演习，国防科学之研究，大众教育之推进，拼音新文字之普及等等。都是这门功课里所应当包括的细目，都是以民族解放之实际行动为中心，有计划有组织的各种实际行动的过程，便是这个大学校的课程。

照上面的观点看来，救国不忘读书的口号是站不住了。救国与读书是分不开的。我们只读可以救国的书，救国的行动要求什么书我们才读什么书。最近教育部通告里说“教育之生命即民族之生命”，这句话也要颠倒过来，才是真理。民族之生命即教育之生命，不救民族之生命，那能救教育之生命！这个大学校只救民族之生命，则教育自然有生命了。

这个大学校的教育法也特别。前进的生活法便是前进之教育法。前进的生活法是什么？一是批判；二是战斗。这个大学是要根据大众的利害来批评一切歪曲的理论，要为民族解放前途向汉奸卖国贼封建势力帝国主义拼命的战斗。

这个大学也要办毕业，它也有会考；等到一切失地收回，主权恢复，中华民族完全得到了自由平等，我们就算会考及格，定期举行毕业典礼。

这样的会考，当然不是写几篇文章就能及格。我们的民族解放的证书是用血写的，我们的民族解放毕业是打出来的。我们所纳的学费不是金子银子，乃是我们的生命。我们所需要得到的不是方块帽，漏斗袋，乃是万万年的整个中华民族之自由平等！

够了！你这个人是多么自私自利啊，单为你自己一个民族打算！对，你的话虽然骂得不错，但是你不要心急，民族解放大学只是一个初级大学，在它上面，还有一个更大的人类的高级大学咧。

创造宣言

创造主未完成之工作，让我们接过来，继续创造。

宗教家创造出神来供自己崇拜。最高的造出上帝，其次造出英雄之神，再其次造出财神、土地公、土地婆来供自己崇拜，省事者把别人创造现成之神来崇拜。

恋爱无上主义者造出爱人来崇拜。笨人借恋爱之名把爱人造成丑恶无耻的荡妇来糟踏，糟踏爱人者不是奉行恋爱无上主义，而是奉行万恶无底主义的魔鬼，因为他把爱人造成魔鬼婆。

美术家如罗丹，是一面造石像，一面崇拜自己的创造。

教育者不是造神，不是造石像，不是造爱人。他们所要创造的是真善美的活人。真善美的活人是我们的神，是我们的石像，是我们的爱人。教师的成功是创造出值得自己崇拜的人。先生之最大的快乐，是创造出值得自己崇拜的学生。说得正确些，先生创造学生，学生也创造先生，学生先生合作而创造出值得彼此崇拜之活人。倘若创造出丑恶的活人，不但是所塑之像失败，亦是合作塑像者之失败。倘若活人之塑像是由于集体的创造，而不是个人的创造，那末这成功失败也是属于集体而不是仅仅属于个人。在一个集体当中，每一个活人之塑像，是这个人来一刀，那个人来一刀，有时是万刀齐发。倘使刀法不合于交响曲之节奏，那便处处是伤痕，而难以成为真善美之活塑像。在刀法之交响中，投入一丝一毫的杂声，都是中伤整个的和谐。

教育者也要创造值得自己崇拜之创造理论和创造技术。活人的塑像和大理石的塑像有一点不同，刀法如果用得不对，可以万像同毁，刀法如果用得对，则一笔下去，万龙点睛。

有人说：环境太平凡了，不能创造，平凡无过于一张白纸，八大山人挥毫画他几笔，便成为一幅名贵的杰作。平凡也无过于一块石头，到了飞帝亚斯·米开朗基的手里可以成为不朽的塑像。

有人说：生活太单调了，不能创造。单调无过于坐监牢，但是就在监牢中，产生了《正气歌》，产生了苏联的国歌，产生了《尼赫鲁自传》。单调又无过于沙漠了，而雷塞布（Lessebs）竟能在沙漠中造成苏彝士运河，把地中海与红海贯通起来。单调又无过于开肉包铺子，而竟在这里面，产生了平凡而伟大的平老静。

可见平凡单调，只是懒惰者之遁辞。既已不平凡不单调了，又何须乎创造。我们是要在平凡上造出不平凡；在单调上造出不单调。

有人说：年纪太小，不能创造，见着幼年研究生之名而哈哈大笑。但是当你把莫扎尔特、爱迪生及冲破父亲数学层层封锁之帕斯加尔（Pascal）的幼年研究生活翻给他看，他又只好哑口无言了。

有人说：我是太无能了，不能创造，但是鲁钝的曾参，传了孔子的道统，不识字的惠能，传了黄梅的教义。惠能说："下下人有上上智。"我们岂可以自暴自弃呀！可见无能也是藉口。蚕吃桑叶，尚能吐丝，难道我们天天吃白米饭，除造粪之外，便一无贡献吗？

有人说：山穷水尽，走投无路，陷入绝境，等死而已，不能创造。但是遭遇八十一难之玄奘，毕竟取得佛经；粮水断绝，众叛亲离之哥仑布，毕竟发现了美洲；冻饿病三重压迫下之莫扎尔特，毕竟写出了《安魂曲》。绝望是懦夫的幻想。歌德说：没有勇气一切都完。是的，生路是要勇气探出来，走出来，造出来的。这只是一半真理；当英雄无用武之地，他除了大无畏之斧，还得有智慧之剑，金刚之信念与意志，才能开出一条生路。古语说，穷则变，变则通，要有智慧才知道怎样变得通，要有大无畏之精神及金刚之信念与意志才变得过来。

所以处处是创造之地，天天是创造之时，人人是创造之人，让我们至少走两步退一步，向着创造之路迈进吧。

像屋檐水一样，一点一滴，滴穿阶沿石。点滴的创造固不如整体的创造，但不要轻视点滴的创造而不为，呆望着大创造从天而降。

东山的樵夫把东山的茅草割光了，上泰山割茅草，泰山给他的第一个印象是：茅草没有东山多，泰山上的“经石峪”、“无字碑”、“六贤祠”、“玉皇顶”；大自然雕刻的奇峰、怪石、瀑布，豢养的飞禽、走兽、小虫，和几千年来农人为后代种植的大树，于他无用，都等于没有看见。至于那种登泰山而小天下之境界，也因急于割茅草而看不出来。他每次上山拉一堆屎，下山撒一泡尿，挑一担茅草回家。尿与屎是他对泰山的贡献，茅草是他从泰山上得到的收获。茅草是平凡之草，而泰山所可给他的又只有这平凡之草，而且没有东山多，所以他断定泰山是一座平凡之山，而且从割草的观点看，比东山还平凡，便说了一声"泰山没有东山好"，被东山树苗听见，想到自己老是站在寸土之中，终年被茅草包围着，陡然觉得平凡，单调，烦闷，动摇，幻想换换环境。一根树苗如此想，二根树苗如此想，三根树苗如此想，久而久之成趋向，便接二连三的，一天一天的，听到树苗对樵夫说："老人家，你愿意带我到东山去玩一玩么？"樵夫总是随手一拔，把它们一根一根的和茅草捆在一起，挑到东山给他的老太婆烧锅去了。我们只能在樵夫的茅草房的烟囱里偶尔看见冒出几缕黑烟，谁能分得出那一缕是树苗的，那一缕是茅草的化身？

割草的也可以一变而成为种树的老农，如果他肯迎接创造之神住在他的心里。我承认就是东山樵夫也有些微的创造作用——为泰山剃头理发，只是我们希望不要把我们的鼻子或眉毛剃掉。

创造之神！你回来呀！你所栽培的幼苗是有了幻想，樵夫拿着雪亮亮的镰刀天天来，甚至常常来到幼苗的美梦里。你不能放弃你的责任。只要你肯回来，我们愿意把一切——我们的汗，我们的血，我们的心，我们的生命——都献给你，当你看见满山的幼苗在你监护之下，得到我们的汗，血，心，生命的灌溉，一根一根的都长成参天的大树，你不高兴吗？创造之神！你回来呀！只有你回来，才能保证参天大树之长成。

罗丹说："恶是枯干。"汗干了，血干了，热情干了，僵了，死了，死人才无意于创造。只要有一滴汗，一滴血，一滴热情，便是创造之神所爱住的行宫，就能开创造之花，结创造之果，繁殖创造之森林。

三十二年十月十三日　写于凤凰山

创造的儿童教育

创造的儿童教育，不是说教育可以创造儿童，儿童的创造力是千千万万祖先，至少经过五十万年与环境适应斗争所获得而传下来之才能之精华，发挥或阻碍，加强或削弱，培养或摧残这创造力的是环境。教育是要在儿童自身的基础上，过滤并运用环境的影响，以培养加强发挥这创造力，使他长得更有力量，以贡献于民族与人类。教育不能创造什么，但它能启发解放儿童创造力以从事于创造之工作。

我们晓得特别是中国小孩，是在苦海中成长。我们应该把儿童苦海创造成一个儿童乐园。这个乐园不是由成人创造出来交给小孩子，也不是要小孩子自己单身匹马去创造，我们造一个乐园交给小孩子，也许不久就会变为苦海，单由小孩子自己去创造，也许就创造出一个苦海，所以应该成人加入小孩子的队伍里去，陪着小孩子一起创造。

一，把我们摆在儿童队伍里，成为孩子当中的一员。我们加入到儿童队伍里去成为一员，不是敷衍的，不是假冒的，而是要真诚的，在情感方面和小孩子站在一条战线上。我曾经写过一首小诗，描写过我们在小孩队中应有和不应有的态度。

> 儿童园内无老翁，老翁个个变儿童。变儿童，莫学孙悟空！他在狮驮洞，也曾变过小钻风。小钻风，脸儿模样般般像，拖着一条尾巴两股红。

我们要加入儿童队伍里，第一步要做到不失其赤子之心。做成小孩子队伍里的一分子。

二，认识小孩子有力量。我们加入儿童生活中，便发现小孩子有力量；不但有力量，而且有创造力。我们要钻进小孩子队伍里才能有这个新认识与新发现。

从前当晓庄学校停办的时候，晓庄的教师和师范生不能回晓庄小学任职，私塾先生又被小孩拒绝，农人不好勉强聘请，不得已，小孩自己组织起来，推举同学做校长当教员，自己教，自己学，自己办，并自称自动学校。这是中国破天荒的创造。我听见了这个消息以后，就写了一首诗去恭贺他们：

有个学校真奇怪：
大孩自动教小孩。
七十二行皆先生，
先生不在学如在。

写好之后，交给几位大学生，请他们指教，他们说尽善尽美，于是用快信寄去。

第三天，他们回一封信，向我道谢之外，说这首诗有一个字要改。大孩教小孩，难道小孩不能教大孩吗？大孩能够自动，难道小孩不能自动吗？而且大孩教小孩有什么奇怪呀？这一串炸弹把个大字炸得粉碎，我马上把它改为“小孩自动教小孩”，这样一来，是更好了。黄泥腿的农村小孩改留学生的诗，又是破天荒的证明，证明小孩有创造力。

又有一次我到南通州去推广“小先生”，写了一篇一分钟演讲词，内中有一段：“读了书，不教人，什么人？不是人。”我讲过后有一个小孩子马上来说，陶先生，你的演讲最好把“不是人”改为“木头人”，“木头人”比“不是人”更好了。因为“不是人”三个字不具体，桌子不是人，椅子也不是人，而“木头人”是给了我们一个具体的印象。这也证明小孩子有创造力。我们要真正承认小孩子有创造力，才可以不被成见所蒙蔽。小孩子多少都有其创造的能力。

三，解放儿童的创造力。我们发现了儿童有创造力，认识了儿童有创造力，就须进一步把儿童的创造力解放出来。

（一）解放小孩子的头脑。儿童的创造力被固有的迷信、成见、曲解、幻想层层裹头布包缠了起来。我们要发展儿童的创造力，先要把儿童的头脑从迷信、成见、曲解、幻想中解放出来。迷信要不得，成见要不得，曲解要不得，幻想更要不得，幻想是反对现实的。这种种要不得的包头布，要把它一块一块撕下来，如同中国女子勇敢的撕下了裹脚布一样。

自从有了裹脚布，从前中国妇女是被人今天裹，明天裹，今年裹，明年裹，骨髓裹断，肉裹烂，裹成一双三寸金莲。

自从有了裹头布，中国的儿童，青年成人也是被人今天裹，明天裹，今年裹，明年裹，似乎非把个个人都裹成一个三寸头不可。如果中华民族不想以三寸金头出现于国际舞台，唱三花脸，就要把裹头布一齐解开，使中华民族的创造力可以突围而出。三民主义开宗明义就说：大凡人类对于一件事，研究其中的道理，首先发生思想，思想贯通，以后才生信仰，有了信仰，才生力量。思想贯通，便等于头脑解放。惟独从头脑里解放出来的创造力，才能打退日本鬼，建立新中国。

（二）解放小孩子的双手。人类自从腰骨竖起，前脚变成一双可以自由活动的手，进步便一天千里，超越一切动物。自从这个划时代的解放以后，人类乃能创造工具武器文字，并用以从事于更高之创造。假使人类把双手束缚起来，就不能执行头脑的命令。我们要在头脑指挥之下用手使用机器制造，使用武器打仗，使用仪器从事发明。中国对于小孩子一直是不许动手，动手要打手心，往往因此摧残了儿童的创造力。一个朋友的太太，因为小孩子把她的一个新买来的金表拆坏了，在大怒之下，把小孩子结结实实打了一顿。后来她到我家里来说：“今天我做了一件极痛快的事，我的小孩子把金表拆坏了，我给了他一顿打。”我对她说恐怕中国的爱迪生被你枪毙掉了。我和她仔细一谈，她方恍然大悟，她的小孩子这种行动原是有出息的可能，就向我们请教补救的办法。我说：“你可以把孩子和金表一块送到钟表铺，请钟表司务修理，他要多少钱，你就给多少钱，但附带的条件是要你的小孩子在旁边看他如何修理。这样修表铺成了课堂，修表匠成了先生，令郎成了速成学生，修理费成了学费，你的孩子好奇心就可得到满足，或者他还可以学会修理咧。”小孩子的双手是要这样解放出来。中国在这方面最为落后，直到现在才开始讨论解放双手。在爱迪生时代，美国学校的先生也是非常的顽固，因为爱迪生喜欢玩化学药品，不到三个月就把他开除！幸而他有一位贤明的母亲，了解他，把家里的地下室让给他做实验。爱迪生得到了母亲的了解，才一步步的把自己造成发明之王。那时美国小学的先生不免也阻碍学生的创造力的发展。我们希望保育员或先生跟爱迪生的母亲学，让小孩子有动手的机会。

（三）解放小孩子的嘴。小孩子有问题要准许他们问。从问题的解答里，可以增进他们的知识。孔子入太庙，每事问。我从前写过一首诗，是发挥这个道理："发明千千万，起点是一问。禽兽不如人，过在不会问。智者问得巧，愚者问得笨。人力胜天工，只在每事问。"但中国一般习惯是不许多说话，小孩子得到言论自由，特别是问的自由，才能充分发挥他的创造力。

（四）解放小孩子的空间。从前的学校完全是一只鸟笼，改良的学校是放大的鸟笼。要把小孩子从鸟笼中解放出来，放大的鸟笼比鸟笼大些，有一棵树，有假山，有猴子陪着玩，但仍然是个放大的模范鸟笼，不是鸟的家乡，不是鸟的世界。鸟的世界是森林，是海阔天空。现在鸟笼式的学校，培养小孩用的是干腌菜的教科书。我们小孩子的精神营养非常贫乏，这还不如填鸭，填鸭用的还是滋养料让鸭儿长得肥胖的。我们要解放小孩子的空间，让他们去接触大自然中的花草，树木，青山，绿水，日月，星辰以及大社会中之士，农，工，商，三教九流，自由的对宇宙发问，与万物为友，并且向中外古今三百六十行学习。创造需要广博的基础。解放了空间，才能搜集丰富的资料，扩大认识的眼界，以发挥其内在之创造力。

（五）解放儿童的时间。现在一般学校把儿童的时间排得太紧。一个茶杯要有空位方可盛水。现在中学校有月考，学期考，毕业考，会考，升学考，一连考几个学校。有的只好在鬼门关去看榜。连小学的儿童都要受着双重夹攻。日间由先生督课，晚上由家长督课，为的都是准备赶考，拼命赶考，还有多少时间去接受大自然和大社会的宝贵知识呢？赶考和赶路一样。赶路的人把路旁风景赶掉了，把一路应该做的有意义的事赶掉了。除非请医生，救人，路是不宜赶的。考试没有这样的重要，更不宜赶，赶考首先赶走了脸上的血色，赶走了健康，赶走了对父母之关怀，赶走了对民族人类的责任，甚至于连抗战之本身责任都赶走了。最要不得的，还是赶考把时间赶跑了。我个人反对过分的考试制度的存在。一般学校把儿童全部时间占据，使儿童失去学习人生的机会，养成无意创造的倾向，到成人时，即有时间，也不知道怎样下手去发挥他的创造力了。创造的儿童教育，首先要为儿童争取时间之解放。

四，培养创造力。把小孩子的头脑，双手，嘴，空间，时间都解放出来，我们就要对小孩子的创造力予以适当之培养。

（一）需要充分的营养。小孩的体力与心理都需要适当的营养。有了适当的营养，才能发生高度的创造力，否则创造力就会被削弱，甚而至于夭折。

（二）需要建立下层的良好习惯，以解放上层的性能，俾能从事于高级的思虑追求。否则必定要困于日用破碎，而不能够向上飞跃。

（三）需要因才施救。松树和牡丹花所需要的肥料不同，你用松树的肥料培养牡丹，牡丹会瘦死，反之，你用牡丹的肥料培养松树，松树受不了，会被烧死。培养儿童的创造力要同园丁一样，首先要认识他们，发现他们的特点，而予以适宜之肥料，水分，太阳光，并须除害虫，这样，他们才能欣欣向荣，否则不能免于枯萎。

最后，我要提醒大家注意，创造力最能发挥的条件是民主。当然在不民主的环境下创造力也有表现。那仅是限于少数，而不能充分发挥的天才。但如果要大量开发创造力，大量开发人矿中之创造力，只有民主才能办到，只有民主的目的，民主的方法才能完成这样的大事。美国杜威先生（不是候选总统之杜威，而是哲学家教育家之杜威）最近给我信说："现在世界是联系得这样密切，如果民主的目的与方法不能在全世界每一个角落都普遍的树立起来，我怕我们在美国也难持久繁荣。"民主应用在教育上有三个最要点：

（一）教育机会均等，即是教育为公，文化为公。我们要求贫富的机会均等，男女的机会均等，老幼的机会均等，各民族各阶层的机会均等。

（二）宽容和了解，教育者要像爱迪生母亲那样宽容爱迪生，在爱迪生被开除回家的时候，把地下室让给他去做实验。我们要像利波老板宽容法拉第，法拉第在利波的铺子里作徒弟，钉书钉得最慢，但是利波了解他是一面钉书一面读书，终于让法拉第在电学上造成辉煌的功绩。

（三）在民主生活中学民主。专制生活中可以培养奴才和奴隶，但不能培养人民做主人。民主生活并非乱杂得没有纪律。民主要有自觉的纪律，人民只可以在民主的自觉纪律中学习做主人翁。在民主动员号召之下，每一个人之创造力都得到机会出头，而且每一个人的创造力都能充分解放出来。只有民主才能解放最大多数人的创造力，并且使最大多数人之创造力发挥到最高峰。

民国三十三年十二月十六日《大公报》

敲碎儿童的地狱，创造儿童的乐园

儿童是应该快乐的，而现在中国的儿童是非常痛苦。固然有许多人才是从痛苦中长大起来，但是成人的责任是应该把社会改造得好一点，使未成熟的儿童少吃点苦，多享点福。我们应该负起责任来，敲碎儿童的地狱，建立儿童的乐园。不够，我们应该引导儿童把地狱敲碎，让他们自己创造出乐园来。

要怎么样除苦造福

第一，我们应该承认儿童的人权。儿童的人权从怀胎的时候开始。打胎虽有法律禁止，但是社会上还是流行着。为着恐怕私生子为人轻视，便从源头上取消了他的生存权。也有因为贫穷不能教养而出此残忍手段，使已得生命之胎儿不能见天日。我们只须读一读孔子耶稣的故事，便知道剥削儿童生存权是何等的罪恶。每逢饥荒便听得见“易子而食”，这虽然说是被迫无法才出此下策，但也是把小孩的生命当作次一等所致。我们要解除儿童痛苦增进儿童福利，首先要尊重儿童的人权。

第二，我们应该了解儿童的能力需要。儿童有许多痛苦是由于父兄师长之不了解。不了解则有力无处用，有苦无处说。我们要知道儿童的能力需要，必须走进小孩的队伍里去体验而后才能为小孩除苦造福。我们必须重生为小孩，不失其赤子之心，才能为儿童谋福利。

第三，承认了儿童的人权并了解了儿童的能力需要，才有可能谈儿童福利，否则难免隔靴搔痒，劳而无功，我们尊重儿童人权及了解儿童能力和需要两条原则下，来提出几件具体的建议。

提出十点具体建议

（一）解除儿童的恐怖。中国的儿童在心理上是处在一个恐怖的世界里。老婆婆，老妈子一到夜晚没有事便讲鬼说怪，小孩们连在梦里都要骇醒。我们应该使小孩与这些鬼怪故事隔绝，以保持精神之安宁。

（二）打破重男轻女之风尚。这重男轻女的风尚连在文化界还是难免。男的受过分栽培，女的受偏枯的待遇；表面虽然似乎是一乐一苦，但在长大的过程中两者都难免受伤。

（三）提倡儿童卫生。儿童卫生是民族健康之基础，这基础必须用水泥钢骨打得稳固。但是平常做父母的多不注意。儿童卫生有一百件具体的事要做，我只举一件，把食物嚼碎给小孩吃，是害了许多儿童，使家庭的肺病一代代的传下去。革除这一坏习惯，是使许多儿童得到终身的幸福，至于营养要充足，环境要卫生，那是不消说了。

（四）拯救文化饥荒。成千成万的孩子对于学校是不得其门而入，那些已经进学校的是在吃干腌菜的课文。我们一方面要求教育之普及，一方面还要改造学校教育使教育与生活密切的联系起来，使每一个人都能享受文化的精华。并且要革除体罚，改良赶考，注重启发，使小孩接受教育的时候，有求学之乐趣，而无不必要之恐怖与烦恼。

（五）培养人才幼苗。人才的幼苗当从小培养，如果家庭里，学校里，铺子里的孩子，在小的时候，已被发现有特殊的才干，那末，立刻就应该给他以适当之肥料，水分，阳光，使他欣欣向荣。十二岁的爱迪生因为醉心于科学把戏，三个月便被冬烘先生开除了，那对于爱迪生的小心灵是多么大的打击。爱迪生的母亲却了解他，给他在地下室做实验，那对于爱迪生又是多么大的幸福啊。

（六）提倡儿童娱乐。现在流行的戏剧电影，有好些是给了儿童不好的影响。许多父母因为影响不好便因噎废食，绝对不许子女看书看电影。假使我们有好的儿童剧，儿童电影，可以寓教于娱乐，那儿童又是多么的高兴啊！

（七）开展托儿所运动。女工农妇及职业妇女要顾到工作便顾不得小孩，顾到小孩便顾不到工作！其实她们是必得双方兼顾，不顾工作便没有饭吃，小孩是自己的亲血肉，那能不顾。于是她们为着两样都舍不下的工作和小孩，是一面牺牲了自己，又一面使小孩吃了许多苦。惟一的办法是多设工厂托儿所，农村托儿所和一般的托儿所。

（八）建立儿童工学团。流浪儿，低能儿，聋盲儿，社会问题儿童等特殊儿童，一概用工学团方式培养，不冠以流浪儿教养院或低能儿训练所一类违反心理之名称。每种使小孩就其性之所近，依“工以养生，学以明生，团以保生”之原则，把他们培养成自助长进有用之人。

（九）培养合理之教师父母。儿童痛苦之完全消灭及儿童福利完全实现，是有待于天下为公。在这过渡时代与儿童幸福痛苦息息相关的，是父母与教师（包括艺徒之师父）。我们要培养新父母和新教师，以培养更有福的后一代。旧父母和旧教师，凭主观以责儿童之服从；新父母和新教师，客观的根据他们的需要能力以宣导他们的欲望而启发他们的自觉的活动。新父母与新教师，要跟儿童学，教儿童启示自己如何把儿童教得更合理。这种对儿童有了解有办法的新父母新教师不是从天上落下来，我们需要新的普通学校，新的师范学校和新的父母学校来培养后一代之新教师与新父母，这是过渡时代之儿童福利之泉源。

（十）抢救战区儿童。抢救难童，在武汉失守前后达到了最高峰。许多英勇青年投身抢救工作及保育事业，当我回国之初，到处所见的，几乎尽是救苦救难的观音大士。以后，随着团结之松懈，民主之退隐，战童就好像没有人管了。自湘桂战起，全国儿童福利工作人员开代表大会于陪都，提出紧急动议，组织急救战区儿童联合委员会，加紧抢救工作，这是值得庆幸的好消息，常千千万万难童伸出手来等待援助的时候，在陪都是举行着中国儿童福利协会之成立大会。我希望以后协会的任务是抢救抢教双管齐下，才对得起后一代之期望与整个民族之付托。我曾经听过两种被救的难童的经验谈：一种是官僚化的抢救，领队者刚愎自用，剥削难童，先难童之乐而乐，后难童之忧而忧，弄成乌合之众，害得许多小孩死于饿，死于冻，死于病，死于非命！一种是民主式的抢救，领队者虚心听取民意，与难童共休戚，共甘苦，有组织，有计划，有纪律，分工合作，一路学习玩耍奋斗而来，使得大家有远征之乐，没有逃难之苦。为难童服务的人们，是应当革除官僚的习气而采取民主的精神。

两种心理有害儿童

我们对于儿童有两种极端的心理，都于儿童有害。一是忽视；二是期望太切。忽视则任其像茅草样自生自灭，期望太切不免揠苗助长，反而促其夭折。所以合理的教导是解除儿童痛苦增进儿童幸福之正确路线。我们必须沿这路线进行，才能使儿童脱离苦海进入乐园。

三十三年十二月十六日《时事新报》

民主的儿童节

儿童的生活，是一面社会的镜子。

一个国家的政治经济，是否是民主，用不着争论，只须拿这一面镜子照一照，就明白了。因为儿童真是人微言轻，政治经济在儿童身上反映，是最澈底而难以隐藏的。如果“月到中秋分外明”这句话是正确的，那末，您在儿童节的儿童生活的反映上更可以看得清清楚楚。幸运的儿童，是一年三百六十五天，天天过儿童节，四月四日不过是加强过儿童节罢了。不幸的儿童，就连四月四日也与他们无关，他们在儿童节仍旧是擦皮鞋，拾狗屎，做苦工，挨饿，挨冻，挨打。饿，冻，打，便是他们所受的礼物。听戏，看电影，吃糖果，参加游艺会，没有他们的份。

民主没有深奥的意思，通俗点说：就是“大家有份”。在倒霉的时候是“有祸同当”，在幸运的时候是“有福大家享”，在平常的时候是“大家的事大家做，大家谈，大家想”。儿童节是全国儿童的儿童节，决不是少数的儿童节。我们对于儿童幸福要做到全体儿童人人有份，才算是民主的儿童节。所谓儿童的幸福究竟是些什么？这可以拿老百姓所爱好的“福禄寿喜”四个字来说明。

（一）福，有母爱，有书读，有东西玩，有六大解放。有学当其材之培养，有小小创作的机会，有广大的爱护后代的同情。

（二）禄，吃得饱，穿得暖。

（三）寿，不受恐怖，不被剥削，不受伤，不害病，不夭折。

（四）喜，过年过节，皆大欢喜。

若想实现这四大幸福，我觉得要使小孩子们得到四种东西：

（一）玩具 团体娱乐的玩具。

（二）学具 进修学问之工具。

（三）用具 日常生活之用具。

（四）工具 手脑双挥之工具。

儿童节，是觉悟大人为全体儿童争取幸福的节日。我们不但是要为儿童争取一日之快乐，而且要为儿童争取长期之幸福。至少从今年儿童节起，要为不幸的儿童争取一年之学习材料，假使每一个学校或团体为其附近之不幸儿童，发动这样一种运动，使他们在儿童节能过一天快乐而有意义的生活，并得到一年之长进之资料，总是有益处的。但是要知道民主的儿童节之先决条件，是政治经济的民主。倘使政治经济不民主，小孩子的幸福是必然限于很少数的少爷小姐，但是如果政治经济一民主，那自由必定是立刻飞到他所关心的最不幸的小孩子当中，而把他们抱在温暖的怀抱，故真正爱护小孩子的朋友，必须是民主的战士，让我们促成民主的政治经济，以实现民主的儿童节吧。

创设乡村幼稚园宣言

自从福禄伯尔发明幼稚园以来，世人渐渐的觉得幼儿教育之重要；自从蒙梯梭利毕生研究幼儿教育以来，世人渐渐的觉得幼稚园之效力；自从小学校注意比较家庭送来与幼稚园升来的学生性质，世人渐渐的觉得幼儿教育系为人生之基础，不可不乘早给他建立得稳。儿童学者告诉我们凡人生所需要之重要习惯，倾向，态度多半可以在六岁以前培养成功。换句话说，六岁以前是人格陶冶最重要的时期。这个时期培养得好，以后只须顺着他继长增高的培养上去，自然成为社会优良的分子。倘使培养得不好，那末，习惯成了不易改，倾向定了不易移，态度决了不易变。这些儿童升到学校里来，教师需费尽九牛二虎之力去纠正他们已成的坏习惯，坏倾向，坏态度，真可算为事倍功半。至于不负责任的教师，那里顾得到这些。他们只一味的放任，偶尔亲自看见学生做坏事，也不过给儿童一个消极的处分。于是坏习惯，坏倾向，坏态度，蓬蓬勃勃的生长，不到自害害人不止。这是必然的趋势。

有志儿童幸福和有志改良社会的人，看此情形就大声疾呼的提倡广设幼稚园。但提倡的力竭声嘶而响应的寥若晨星。都市之中尚有几个点缀门面，乡村当中简直找不到他们的踪迹。这也难怪，照现在的情形看来，幼稚园倘不经根本的改革，不但乡村里推不进去，就是都市里也容不了多少。

依我看来，现在国内的幼稚园害了三种大病。一是外国病。试一参观今日所谓之幼稚园，耳目所接，那样不是外国货？他们弹的是外国钢琴，唱的是外国歌，讲的是外国故事，玩的是外国玩具，甚至吃的是外国点心。中国的幼稚园几乎成了外国货的贩卖场，先生做了外国货的贩子。可怜的儿童居然做了外国货的主顾。二是花钱病。国内幼稚园花钱太多，有时超过小学好几倍。这固然难怪，外国货那有便宜的。既然样样仰给于外国，自然费钱很多。费钱既多，自然不易推广。三是富贵病。

幼稚园既多花钱，就得多弄钱，学费于是不得不高，学费高，只有富贵子弟可以享受他的幸福。所以幼稚园只是富贵人家的专用品，平民是没有份的。

我们现在所要创办的乡村幼稚园，就要改革这三种弊病。我们下了决心要把外国的幼稚园化成中国的幼稚园，把费钱的幼稚园化成省钱的幼稚园，把富贵的幼稚园化成平民的幼稚园。

（一）建设中国的幼稚园。我们在这里要力谋幼儿教育之适合国情，不采取狭义的国家主义。我们要充分运用眼面前的音乐，诗歌，故事，玩具及自然界陶冶儿童。国外材料之具有普遍性，永久性的亦当选粹使用，但必以家园所出的为中心。

（二）建设省钱的幼稚园。打破外国偶像是省钱的第一个办法。我们第二个办法，就是训练本乡师资教导本乡儿童。一村之中必有一二天资聪敏，同情富厚之妇女。我们就希望她们经过相当训练之后，出来担任乡村幼稚园的教师。她们既可得一新职业之出路，又可使幼稚园之薪金不致超过寻常小学数额，岂不是一举两得？这些妇女中最可有贡献而应最先训练的无过于乡村校长教员之夫人姐妹及年长的女学生。她们受过训练之后，只要有人加以提倡，幼稚园就可一举而成。第三个办法，就是运用本村小学手工科及本村工匠仿制玩具。如此办来，一个钱可以抵数钱之用。三个办法同时并进，可以实现省钱的幼稚园。

（三）建设平民的幼稚园。幼稚园花钱既省，取费自廉，平民的儿童当能享受机会均等。教师取之乡间，与儿童生活气味相投，自易亲近。这两件事都可以叫幼稚园向平民方面行走。但一个制度是否真能平民化，要看它是否应济平民的需要。照我们所观察，乡村幼稚园乃农民的普遍的永久的需求。试一看乡村生活，当农忙之时，主妇更是要忙得天昏地黑。她要多烧茶水，多寻饭菜，多弄衣服，有时还要她在田地里工作，那里还有空去管小孩子。那做哥哥，做姊姊的也要送饭，挑水，看牛，打草鞋，忙个不了，谁也没有工夫陪小弟弟，小妹妹玩。所以农忙之时，村中幼儿不是跟前跟后，就是没人照应，真好像是个大累，倘得乡村幼稚园办的得当，他们就可以送来照料。一方面父母可以免去拖累，一方面儿童又能快快乐乐的玩耍，岂不是“得其所哉”！小学儿童，年龄较大，可以做事，农忙时颇能助父母一臂之力，要他上学，不啻减少农民谋生能力，所以有如登天之难。幼稚园则不然。它所招收的儿童，正是农民要解脱的负担，他们进来，正是给农民一种便利。倘使办理得当，乡村幼稚园，可以先小学而普及。幼稚园既是应济平民的需要，自有澈底平民化之可能。我们只须扫除当路的障碍，使它早日实现就是了。

（四）建设一个中国的，省钱的，平民的乡村幼稚园，不是一说就可以成功的。我们必须用科学方法去试验，必须用科学方法去建设。我们对于幼稚园之种种理论设施都要问他一个究竟，问他一个澈底。我们在幼稚园里样样活动都要站得住。我们要用科学的方法来建设一个省钱的、平民的、适合国情的乡村幼稚园。将来全国同志起而提倡，使个个乡村都有这样一个幼稚园，使个个幼儿都能享受幼稚园的幸福，那更是我们所朝夕祷祝的了！

幼稚园之新大陆
——工厂与农村

最需要幼稚园的地方是什么？最欢迎幼稚园的地方是什么？幼稚园应当到而没有到的是什么地方？幼稚园还有些什么新的大陆可以发现？

（一）女工区域是需要幼稚园的。妇女上工厂做工，小孩子留在家里，无人照顾，最感痛苦。若带在身边，那末工厂里的特殊紧张之环境，便要阻碍儿童的发育。倘使工厂附近有相当之幼稚园，必能增进儿童之幸福而减少为母者精神上之痛苦。同时女工既不是心挂两头，手边又无拖累，则做工效率，自然也要增加好多。所以为儿童教育计，为女工精神计，为工业出产效率计，这种工厂附近必须开办幼稚园。这是幼稚园的第一个新大陆：我希望幼稚园同志快来探获。

（二）农村也是需要幼稚园的。农忙的时候，田家妇女们忙个不了，小孩子跟前跟后，真是麻烦。哥哥姐姐也要帮忙操作，无暇陪伴弟妹玩耍，所以农忙一到，乡村小孩子就要缺乏照料。倘使农村里有了幼稚园，就能给这些孩子一种相当的教育，并能给农民一种最切的帮助。幼稚园的同志们！诸君可曾想到这个新大陆？我深信诸君如果愿意下乡，采桑娘子必定是诚意地欢迎诸君的。

幼稚园的下乡运动和进工厂运动必须开始，实无疑义。但现在的幼稚园必须经过一番根本的变化，方能到乡村和工厂里去。它第一要打破外国的面貌，第二要把贵族的架子放开，第三要省钱，不当用的不必用。这里要整天整年的幼稚园。半天的幼稚园，只能解决一半的困难。幼稚园放假，也只能跟着女工农妇空闲的时候为转移。现在幼稚园还有一件事没有注意到，这就是儿童的健康。儿童的健康比什么事还要紧。幼稚园教师倘没有受过严格的卫生训练，则幼稚园恐怕要变成传染疾病的中心。我有一个朋友全家害过猩红热，又一个朋友的小孩子染着百日咳，还有几家朋友的小孩子染着沙眼病及天花，都是因为幼稚园里不注意卫生所致。我希望大家把儿童健康当作幼稚园里面第一重要的事情。幼稚园教师应当做健康之神。工厂和农村是幼稚园可以发现的新大陆。他们只欢迎爱护健康的幼稚园，不欢迎传染疾病之幼稚园。

普及现代生活教育之路

什么是生活教育？

生活教育这个名词是被误解了。它所以被误解的缘故，是因为有一种似是而非的理论混在里面，令人看不清楚。这理论告诉我们说：学校的教育太枯燥了，必得把社会里的生活搬一些进来，才有意思。随着这个理论而来的几个口号是“学校社会化”，“教育生活化”，“学校即社会”，“教育即生活”。这好比一个笼子里面囚着几只小鸟，养鸟者顾念鸟儿寂寞，搬一两枝树枝进笼，以使鸟儿跳得好玩，或者再捉几只生物来，给鸟儿做陪伴。小鸟是比较的舒服了，然而鸟笼毕竟还是鸟笼，决不是鸟的世界。所可怪的是养鸟者偏偏爱说鸟笼是鸟世界，而对于真正的鸟世界的树林反而一概抹煞，不加承认。假使笼里的鸟，习惯成自然，也随声附和的说，这笼便是我的世界，又假使笼外的鸟都鄙弃树林，而羡慕笼中生活，甚至以不得其门而入为憾，那末，这些鸟才算是和人一样的荒唐了。

我们现在要肃清这种误解。生活教育是生活所原有，生活所自营，生活所必需的教育。教育的根本意义是生活之变化。生活无时不变，即生活无时不含有教育的意义。因此，我们又可以说“社会即学校”。在这个理论指导之下，我们承认过什么生活便是受什么教育；过好的生活，便是受好的教育；过坏的生活，便是受坏的教育；过有目的的生活，便是受有目的的教育；过糊里糊涂的生活，便是受糊里糊涂的教育；过有组织的生活，便是受有组织的教育；过有计划的生活，便是受有计划的教育；过乱七八糟的生活，就是受乱七八糟的教育。换个说法，过的是少爷生活，虽天天读劳动的书籍，不算是受着劳动教育；过的是迷信生活，虽天天听科学的演讲，不算是受科学教育；过的是随地吐痰的生活，虽天天写卫生笔记，不算是受着卫生的教育；过的是开倒车的生活，虽天天谈革命的行动，不算是受着革命的教育。我们要想受什么教育，便须过什么生活。

生活教育与生俱来，与生同去。出世便是破蒙；进棺材才算毕业。在社会的伟大的学校里，人人可以作我们的先生，人人可以作我们的同学，人人可以作我们的学生。随手抓来都是活书，都是学问，都是本领。

自有人类以来，社会即是学校，生活即是教育。士大夫其所以不承认它，是因为他们有特殊的学校给他们的子弟受特殊的教育。从大众的立场上看，社会是大众惟一的学校，生活是大众惟一的教育。大众必须正式承认它，并且运用它来增加自己的知识，增加自己的力量，增加自己的信仰。

生活教育是下层建筑。何以呢？我们有吃饭的生活，便有吃饭的教育；有穿衣的生活，便有穿衣的教育；有男女的生活，便有男女的教育，它与装饰品之传统教育根本不同。它不是摩登女郎之金钢钻戒指，而是冰天雪地里的穷人的窝窝头和破棉袄。

生活与生活摩擦才能起教育的作用。我们把自己放在社会的生活里，即社会的磁力线里转动，便能通出教育的电流，射出光，放出热，发出力。

生活教育现代化

生活教育是早已普及了。自有人类以来，便是人人过生活，人人受教育，自然而然的，生活是普及在人间，即是教育普及在人间。但有些人是超时代，有些人是时代落伍。有些人到了现代还是过着几百年前的生活，便是受着几百年前的教育，教时代落伍的人一起赶上时代的前线来，是普及教育运动的目标。做一个现代人必须取得现代的知识，学会现代的技能，感觉现代的问题，并以现代的方法发挥我们的力量。时代是继续不断的进，我们必得参加在现代生活里面，与时代俱进，才能做一个长久的现代人。否则再过几年又要时代落伍了。因此，我们必须拿着现代文明的钥匙才能继续不断的去开发现代文明的宝库，保证川流不息的现代化。这个钥匙便是活用的文字符号和求进的科学方法。普及教育运动之最大使命，便是把这个钥匙从少数人的手里拿出来交给大众。

老法子的普及教育

白君动生从杭州来，给我看了一两条最有趣味的教育报告。这报告说：依照最近四年来浙江所用的方法来扫除文盲，全市要一百五十年才能完成。这种自觉的教育报告，我还是第一次看见。现在从一省一市推论到全国，呆板的守着老法，要多少年才能普及呢？依照教育部最近统计，各省市民众及职业补习学校学生数，民国十八年为一百零三万六千一百六十人。十九年为一百一十万四千一百八十七人。在这一年之中学生增加了六万八千零二十七人。中国全国之失学成人估计有二万万人。假使中国人口不再增加，民众学校学生万岁，长生不死，学生增加率能年年不减，也要三百年才能将文盲扫除干净。再拿小学的统计来看。民国元年小学生数为二百七十九万五千四百七十五人，民国十九年为一千零九十四万八千九百七十九人，十九年之间小学生是增加了八百七十九万五千四百七十五人，每年平均增加率为四十三万人，用四年义务教育估计，假使人口不再增加，小学生长生不死，学生数照平常比例增加，还要七十年才能普及。但是人口趋势，若无统制，必是有加无减，小学生总数每年要夭折三十万，每年平均所增加之四十三万人之中每年也要夭折一万三千人，学校增加率如无新创办法，也得逐年减少。故依我估计，用传统方法，学龄儿童的教育要再过一百年才能普及，失学成人之教育要再过四百年才能普及。

教育是必须普及。但是老法子决办不到，只好想新的法子来解决。老法子有什么困难？能解决那老法子所不能解决的困难的方法便是新方法。

攻破先生关

据教育部统计，全国学龄儿童总数为四千九百十一万。又据十九年统计全国有一千零九十四万小学生，共需五十六万八千教职员。平均每教师教导小学生二十人。四千九百十一万小孩子共需小学教师二百四十五万人。有些教育官主张普及教育要靠师范生，办师范学校要官办。好，我们只须看一看十九年度师范学校的毕业生数就知道这些教育官办在做梦。这一年的高中师范、乡村师范、短期师范的毕业生合起来算只有二万三千四百零二人。师范毕业生万岁，长生不死，要费一百年的培养才能够普及小学之用。即使每人担任小学生数增到四十人，也要五十年才能培养得了，还要求求天老爷保佑他们一个不死才行。还有那二万万的失学成人怎么办？假使每位教师教四十个人，就得培养五百万位民众教师。每人每天教两组，也要二百五十万。这二百五十万乃至五百万人又要多少年去培养？培养师范生每人每年要费公家一百零一元，至少三年就要三百零三元，私人的费用还不在内。二百四十五万的小学教师和二百五十万的民众教师的培养费就得要十五万万元。他们就职之后，就要领薪水。少说些，每人每年一百元，就要五万万元。如果中国的普及教育一定要这样办，那就是癞虾蟆想吃天鹅肉。我们要冲破这个难关，必先对教师的观念起一个根本的改变。师范生乃至整个知识阶级不是教师惟一的源泉。小孩子最好的先生是前进的小孩。大众最好的先生是前进的大众。知识分子的使命，在帮助前进的孩子和前进的大众取得现代知识以同化他们的伙伴。知识分子最多只可做小孩与大众的顾问。超过顾问的范围，就要损害他们的自动精神。即是做个顾问，知识分子也得跳进小孩与大众的队伍里去与他们共患难同休戚，才够得上顾问的资格。这样一来，我们的先生就很够用了。全国小学里是有现成的一千一百万小孩可以做小先生。私塾改良一下，也有一千万合格的小先生。识字大众是有八千万，都有担任传递先生的资格。这一万万小先生与传递先生总动员，每人教两人便是三万万。这些先生不要薪水又不必多花金钱培养，只须我们承认他们配做先生，那教师的难关，便可不冲而自破了。

攻破娘子关

全国成年女子中粗识字义者估计顶多只有一千万人，以女子总数算起来，一百位女子当中只有五位受过文字教育。学龄女孩二千四百五十五万多人当中只有一百六十五万在学校里上学，占初级学生总数百分之十五点二四。所以中国的普及教育问题大半是女子教育问题。如果不能解决女子教育问题，无论什么方法，都是枉费心血。女子教育是普及教育运动中最大的难关。男先生能解决女子教育问题吗？

二三十岁的男先生教几位十七八岁的大姑娘能顺利

的进行吗？过不得几天，意外的事情会教你干不下去，谣言闲话会从几十里外的婆家飞来。未婚夫会约几个顽皮的青年装鬼在路上吓得小姑娘们不敢来上学。男先生要解决女子教育问题难于上青天。女先生来，那是天字第一号。可是女先生根本就少。全国初等学校女先生只有三万四千一百三十九人。女师范生也不过二万人。那是差得太远咧。女先生下乡有三怕：怕蛇、怕鬼、怕贼。要来，是三个两个一起来。破产的乡村，那里请得起！一个男校长请一个女教员也要引人说闲话。最好，最经济的是夫妻学校。但是好的东西偏偏少。经过八九年的提倡，还是寥寥无几。女先生也是难以解决女子教育问题。要想攻破娘子关，还要把小将军请出来。小先生脚迹所到的地方，男女教育机会立刻均等。广东百侯小先生初教校外学生二千人，其中有一千五百人都是女子。在小先生面前，失学的女子是一点也不害羞，有什么不懂都大胆的问。小先生连新娘房里，都能钻进去上一课。

攻破买卖关

知识是成了商品，非钱不卖，非钱买不来。当你劝一位留学生教教他的包车夫或老妈子的时候，他会回你：“没有工夫。”但是如果一个大学给他三百元一月的薪水请他去做少爷小姐的高等听差，他会连夜写飞机快信去应聘。他怎么又有工夫了？缘故是因为他的知识是用钱买来的，他的车夫老妈子没有钱给他，所以没有工夫！那个大学有三百元薪水给他，就会有工夫了。在这个关口上把门的有两个妖怪：一个是大肚的守财奴；一个是大头的守知奴。他们两个把关口守得密不通风，使得无钱的人一点知识也得不着。但是知识应当是社会所公有。把买卖的商品化的知识变做自由送人的礼物，是普及教育运动的一个大目标。能攻破买卖关，肃清守知奴守财奴，以透进这个大目标的便是小先生。在小先生的手里，知识变成空气，人人得而呼吸；知识变成甘霖，处处得其润泽；知识变成太阳，照着广大的群众，向前进行。

攻破衰老关

中国人老了！这是我们时常听见的批评。不错，有两种重大原因使中国人容易衰老，其中的一种便是传统教育。传统教育是教人学老。六岁的小孩子跟着老头子学老规矩，就好像长了两撇胡子，变成一个小老翁。小先生一来可就不同了。六七十岁的老公公和老太婆加入在小孩的队伍里来追求现代知识，是必然沾染着赤子精神，变成了老少年。

攻破饭碗关

“吃饭不读书，像只老母猪！”这个口号有时是可以鼓励一些懒人发奋求学。但是，有些人是做得太过分了。他们居然诱惑甚而强迫人家去掉饭碗去读书。结果是饭碗打破好几只，书还是读不成，造成许多悲剧。总之，传统民众教育是办得太呆板，使吃饭与读书往往不能两全。例如，晚上规定七点上课，夜饭没有吃完的不能来；饭虽吃完了而锅碗没有洗的不能来；小孩子哭着要奶吃不能来；婆婆正喊要水烟袋兄抽烟不能来；丈夫辛苦挑菜上街才回家有许多事要侍候不能来；做生意的正有主顾光临不能来；守牛的、牛儿不适意不能来。因此，一般民众学校，开始的时候都是济济一堂。不久，便七零八落的少下去，到最后，只剩了几个人。小先生的时间好像是橡皮做的，可以伸缩。“大嫂子！我来给你上课”，“阿毛！我正抱小孩吃奶，请你等我一忽儿”。“我到门口去玩玩，小孩奶吃完，喊我一声”。……“阿毛！奶吃好了。快点来”。小先生便是这样从容不迫的攻破这些很难跳过的饭碗关。

攻破孤鸦关

一个乡下先生住在一个破庙里教死书，就好比是一只孤鸦。他无意也无暇与农人交接。他教他的书，对农人的一切是不能过问。他所办的学校是与社会隔离。学校不能运用社会的力量以谋进步。社会也没法吸收学校的力量以图改造。双方都失掉互济的效用。这种孤鸦的学校，普及了也没有意思。现在假使一切都不改，只把小学生变做小先生，这没有意义的学校便变成一个很有意义的学校，这位孤零零的赘疣的寒酸先生，便立刻变成一位村庄中所不可少的有作为的先生了。比方这个学校原来有三十个学生都变成小先生，便好像是三十根电线接到各村去和他们通起电流来。在这些电线上所通的电流有来也有往。一个个小先生，可以把各村的问题、困难带来和先生讨论，又可以把学校里从外面得来的知识与力量，带去和农人与不能进学校之小孩讨论。有时大家来个总集合在各村的问题上求他一个总解决。例如总动员救旱灾，除蝗虫，打倒土豪劣绅、贪官、污吏、帝国主义。你仔细想想，这个学校是变了样子；它的围墙拆掉了。那些村庄合起来是构成了整个的学校，不但是大了几倍几十倍几百倍，而且精神是根本不同了。

攻破瓜分关

中国教育官喜欢把教育切得一块一块的，每人给一块去办，不，每人给他一块去吃着，吃教，吃教育，最好的一个例子是所谓义务教育与民众教育的分家。不但是多费许多钱，而且是一样也办不好。连吃也不好吃。教育就像一碗八宝饭，分开来吃，每人只能尝一两宝，你必须把它搅拌起来才好吃。我们的建议，是把儿童的教育与成人的教育搅拌一下，使它们打成一片。你有时要用小孩教成人，有时要用成人教小孩，有时要用小孩教小孩，有时要用成人教成人，若呆板的分起来，是一样也不会普及。冲破这关口的急先锋便是小先生。小先生一来，这瓜分关的守将必得插白旗投降。

攻破课本关

读书一定要一种课本，并且要从头一本头一课教起，这也是一种成见。新学究还一定要用教科书，没有教科书便坐在那儿等待教科书寄到，边远的地方一等就是几个月。先生是活的，书本到处有。只要活用它就有办法。《三字经》活用起来，也能做普及现代教育的工具。路路通长安，大路断了走小路。一张发票一张签诗也可以当作教科书读。上海把旧的杂志旧的书报包东西揩屁股，真是作孽。这都是我们内地求之不得的教科书呀！来他一个新的惜字运动，我们可以得到几万万不费钱的教科书。如果大家一定要教科书，我还有一个法子介绍，教小学生抄教科书给不能进学校的学生读。利用习字的纸、习字的笔、习字的墨、习字的时间来抄。纸当然要改良一下，格子要适合抄书的需要。平常初级课本的字是写得比多宝塔还合用，学生照着临，也能进步。先生也用批字的时间审订，免去圈叉麻烦。先生只须看学生抄得对不对，好不好，不对不好，须重抄，抄到了对了好了为止。平常先生批字，真是无聊；用王羲之颜鲁公的标准批吗？要批死人。不批吧？校长要怪，家长要怪。不得已，闷起头来瞎批。骗人吗？是的。不骗，就得翘辫子。如果改习字为抄课本，一切都有意义了，不要看轻了这一个小改革。不久以前，日本小学生总动员拾取香烟盒里的锡包，积起来，买得一只飞机。小学私塾总动员改习字为抄课本，每年可得一万万部不费钱的教科书。

攻破纸笔关

读书必得写字，写字必用笔墨纸，也是一种成见。顶少似乎要有铅笔和纸，我当然赞成。但是在乡下万一买不着纸笔，也有别的办法。椅子揩得干净些，用筷子沾水也能练字。柳条为笔，泥地为纸，也可写文。只是不易考核罢了。

攻破灯油关

四万万人，八千万家，家家读书，这可算是文字教育普及了。但是要怎样才无流弊，我们必绞脑筋，打破沙锅问（纹）到底。这是每一位普及教育者的责任。我曾经拜托几位熟悉家务的穷朋友代我做了一些估计。点菜油灯，每天多点一小时，每盏灯每年要点一块钱的油。八千万盏灯每年就要多费八千万元。用洋油呢？每盏灯要四元一年。每年要费三万二千万元！美孚行的买办要高兴了。煤油大王一得这个消息，也要笑得说不出话来。他可以打算再拔一根毛到中国南方来办一个协和医院。这票买卖是被太阳夺去了。太阳老牌也会到地球上来争夺市场的，奇怪！普及教育者主张日光下施教。还是老少通里的老调兄："起得早，睡得早，省油省灯草。"早点起床，稻草窝里少睡一刻，午饭少抽一袋烟，就省下这每年三万二千万元，好不好？

攻破调查关

传统的教育官还有一套偷懒的把戏。他说，做一件事必得预先调查清楚才能进行；要普及教育，先得调查学龄儿童和失学成人。谁能说他的话没道理？于是筹备调查，实行调查，调查后统计，统计后拟计划，计划拟定后呈报，等候批准，先试办几处。这样一来，官儿换了几任，新的学校还没有开门。调查是已经成为一种延宕的手段。这个纸做的盾牌，必得戳破。中国满地是失学的人，随手捞来都是。如果要调查一个大概，几天就够了。再要多费精力，也不能更加正确。传统教育官没有熟练而靠得住的人代他调查。他的调查多是敷衍的官样文章。普及教育不是不要调查。我们要一面干一面调查。不是先调查完了再干。一面干，一面培养调查的人，再从事精密的调查，那调查的结果才靠得住。小先生才会干这种正确的调查咧。没有小先生，这种大调查，除非费大款，决不可能。先把网儿撒下去，把鱼儿捞了上岸再去数罢。

攻破短命关

士大夫赐给大众的孩子的教育寿命只有四年，赐给大众自己的寿命只有四个月。最近大学教授们有所谓之学制改革案提出，其中的第一个特点便是把穷孩子的教育寿命从四年减短为一年。当然，现在穷孩子的教育寿命现在还一年都没有，给他一年使他跑进教育的王国里来玩玩，如果不是空头支票，还可算很大的恩德。但是大学教授们办学校有寒假暑假星期假，星期六下午假，许许多多的这样假那样假，何不减少一些把中学大学毕业年限缩短一两年，倒在国民教育的空头支票上开刀，实在令人莫解。高等教育经费二十年当中已经从四百九十万增加到二千三百六十万，而学生数只从四万加到四万四千。高等教育不可节省一点钱来，延长国民教育的寿命吗？总之，这种短命的教育在我们看来是不可思议，也不值得普及。我们所要求的整个寿命的教育：活到老，干到老，学到老，团到老，教到老。有了小先生和传递先生，大众的教育寿命可以延到和个人身体寿命一样长，终身是一个继续不断的现代人。

攻破学校关

提到普及教育，大家就联想到开学校：圈校址，造洋楼，请教员，买家具，招学生，考学生，收学费，行开学礼。这样的一个东西是不易普及，即是普及也是害多益少。这种办法，一起手便是蚀本交易。并且把所有的学龄儿童和失学成人都关在学校里去，只有叫农人卖老牛，给洋人发财。我们找一个很简单的东西来替代学校。这个东西便是自动工学团。

什么叫做自动？自动是大众自己干，小孩自己干，自动教育是教大众自己干，小孩自己干：不是替代大众小孩干。

什么叫做工学团？工是工作；学是科学；团是团体。说得清楚些是：工以养生，学以明生，团以保生。说得更清楚些是：以大众的工作养活大众的生命；以大众的科学明了大众的生命；以大众的团体的力量保护大众的生命。工学团是一个小工场，一个小学校，一个小社会。在这里面是包含着生产的意义，长进的意义，平等互助自卫卫人的意义。它是将工场、学校、社会打成一片，产生一个富有生活力的新细胞。

工学团可大可小，从几个人的家庭、店铺，几十个人的学校、庙宇，几百个人的村庄、监狱，几十人的工厂，几万人几十万人的军队，建设工程队（例如导淮筑路的民夫）可以造成一个富有意义的工学团。

团不是一个机关，不是一个工学的机关。假使它只是一个工学的机关，那便成了一个半工半读的改良学校，而不是工学团。团是团体，是力的凝结，力的集中，力的共同发挥。

攻破文字关

有两种极端的人：一是看重文字，把文字误看作教育的全体；二是藐视文字教育，如一般生产教育论者以为大众不需要文字，以为他们所需要的只是生计之改良。这两种观念都是错误的。人与禽兽的大分别，就在人有语言文字，禽兽没有。文明人与野蛮人的大分别，就在野蛮人只有语言，而文明人是语言文字都能灵便的运用。文字符号之妙，是妙在这个符字。道士画符未必灵，士大夫画的符才真灵。他不种田，只须把符一画，好米就有得吃了。他又想，拿一身汗去换一担米还是不上算，再画一张符，叫种米的人挑米来给我吃。农人不会画符，劳而不获，种的米都给人家画符画去了。他眼看这个把戏很便当，也想画一画，自己老了，让儿子去学罢。束脩加上吃饭，每年至少四十元，忍痛把儿子送入私塾学画符。私塾先生就靠着会画几张蹩脚符吃饭，轻易的传给人，饭碗不敲破吗？孔夫子是早已警告了他："后生可畏"的遗嘱是常常背的，不会忘记。一时计上心来，只教学生念咒，不教学生画符。念了几年咒一张符也不会画，农人知难而退，只得把儿子叫回去依旧赶着牛种田。但是取得面包的符号，保护面包符号，即等于面包，有谁能否认呢？但是文字虽然重要，不可离开生活去教。生活的符号要与生活打成一片去追求。否则便是书呆子的教育。文字在普及教育上的地位既是这样确定，那末还是教汉字呢？教音符呢？二者都教呢？在这过渡时期，我主张汉字与音符和拼音文三管齐下一起教。会教汉字的先生多至一万万，这是一个顶大的便利。如果根据大众语用活的方法教，汉字也不像一般人所说的那样难。但汉文最好是拼起音来同时学，这样，中国的拼音大众文会自然而然的脱壳而去。

攻破残废关

中国教育是教用脑的人不用手，不教用手的人用脑。用脑者因为不用手，脑也不能精细，变成个呆脑。用手者因为不用脑，手也不能精细，变成一双粗手。因此读书人是成了书呆子：读死书，死读书，读书死；劳苦大众是成了工呆子：做死工，死做工，做工死。这两种人之外，在教育圈里圈外，还有所谓之少爷小姐。他们是脑也不用，手也不用：享死福，死享福，享福死。这些人都是残废教育理论所造成的。我们换一条路走，是要使手脑联盟：教用脑的人用手，教用手的人用脑，教一切的人都把双手和脑拿出来用。“人生两个宝：双手与大脑，用脑不用手，快要被打倒。用手不用脑，饭也吃不饱。手脑都会用，才算是开天辟地的大好老。”

攻破拉夫关

“听得督学先生到，先生拉我如拉夫。”这是传统教育最有趣的一幕。学生多就算成绩好，这是一件很可怀疑的事。我虽然赞成强迫教育，但绝对反对拉夫教育。你若把牧童从牛背上拉来，把摘茶女从茶山上拉来，把采棉姑从棉场里拉来，把养蚕妇从蚕室里拉来，把织布娘从布机上拉来，把种菜的小二哥从菜园里拉来，所得能偿所失吗？减少经济力的强迫是不可施行。假使我是督学，到了采棉时节，看见校长把能采棉的孩子关在学校里，我一定要记他一大过。为什么不把帮助家人采棉当作正课？为什么要叫学校妨害农务？我个人做事是风雨无阻，但办乡村学校，下雨时节是不劝学生来。如果不信，请听我唱吧：

小宝宝！小宝宝！
今天天气不好，
你们回家要早。
雨来变成水鸡，
事情有些不妙。
明天下雨不要来，
不下雨好来。
破袜破布鞋，
弄坏没钱买。
受了潮湿，
还要把病害。
倒不如留在家里教奶奶，
没有奶奶教乖乖。

下雨就教小孩在家里教人，岂不很好。一定要把小孩变成水鸡，拉来上学，我真不懂这是什么教育。当然，我的主张遇着戴雨帽，穿雨衣，套雨鞋，没得事做的少爷小姐又当别论。

攻破大菜关

假如你问一位老成的教育官说，为何不把教育普及出去？你有时会遇到这样的一个回答：我们只求质量的改进，不求数量之加多。这原来就是那“贵精不贵多”烂调。我曾经写过一首小诗，想把他们的迷梦唤醒：“只为阔老烧大菜，那管穷人吃糟糠；说起理由他充足，声声重质不重量。”在这种冷酷的态度之下，大众的教育是被牺牲了。我们要求大众都能享受粗茶淡饭的教育权，质量与数量是分不开的。我们站在大众的立场上说话，是要在数量上求质量的纯粹，不在数量外求质量的改进。我们在要求人人都能享受粗茶淡饭的教育的时候，立刻必得要求这粗茶淡饭里没有一粒泥沙，而有丰富的糠精和维他命。

攻破实验关

“实验”这两个字于今是时髦极了。实验、实验乡、实验区应时出现。普及教育是一个时髦的东西。一到了所谓的“科学的教育家”之手也来他一个实验。他们把普及教育分成两半：义务教育和民众教育。于是东来一个普及义务教育实验区，西来一个普及民众教育实验区。他们的意思是：教育不可轻易普及，你必得在一个小的地方先行实验，有了成效，才好推广。比如现在最时髦的营养学是研究“维他命”。这些教育家好像是对大众说：你们慢一点吃，连那粗茶淡饭都不可随便吃，必得让我把那里的“维他命”研究好了你们才好吃午饭，不然，肚子是会吃坏的。如果大众听从这位卫生家的话，慢慢的等他“把青菜豆腐”里的“维他命”研究好，才有勇气吃午饭，那末，午饭上桌，大众是早已进棺材了。实验实验，我们如不戳破它，普及教育运动是必得被它耽误，“实验”即“迟延”，我们必得留心这个冒充的科学鬼。

攻破城乡关

一般普及教育的人们都不假思索的说，我们从城里做起，渐渐的推广到乡下去。他们好像是说：“乡下人！你们不要急。等我城里人吃好了，渐渐的会送饭来给你们吃。”中国乡下人的教育便是这样耽误了几十年。我们不再忍耐，戳破这种空头支票，城里乡下的普及教育运动要同时一齐干。

攻破划一关

中国教育官喜欢划一，遂因为划一很便当，但事实上不许他这样办。不许他这样办而他偏要这样办，相持好久，渐渐觉悟过来，又悔当初白费心血，白费心血事小，民族的教育被他耽误了。当初南方与北方的寒暑假都是划一的，岂不可笑，现在还有人在那里做梦，全国教育一定要用汉字去普及，甚而至于蒙古要用汉字去普及，西藏教育要用汉字去普及。这真是俟河之清，人寿几何。醒醒吧！运用各民族自有的大众语及文字符号去普及现代生活教育，是最快的方法。因为教师现成的多，要省掉许多麻烦，这样一来，也能免除民族间的成见猜疑，更能鼓励各民族自动普及教育的兴趣，进步自可敏捷。

攻破会考关

自从会考的号令下了之后，中国传统教育界是展开了许多幕的滑稽的悲剧。

学生是学会考，教员是教人会考。学校是变了会考筹备处。会考所要的，必须教。会考所不要的，不必教，必不教。于是唱歌不教了，图画不教了，体操不教了，家事不教了，农艺不教了，工艺不教了，科学实验不教了，所谓课内外的活动都不教了，所要教的只是书，只是考的书，只是会考指南，教育等于读书，读书等于赶考。

拼命，赶考啊！赶到毛厕里去开夜车。会考的书呆子会告诉你说："不闻臭中臭，难为人上人。"

赶了一考又一考。毕业考过了，接着就是会考。会考过了，接着就是升学考。一连三个考赶下来，是会肉儿赶跑了，把血色赶跑了，有些是把性命赶跑了。最可痛恨的是把小先生赶跑了，把大众的教育赶跑了。

四川卢作孚先生在北碚用八百青年天天干新知识广播。这是值得称赞的一件事。我说这八百青年有民生公司的工作，故可顺带干这教育工作。别处似乎难以普遍仿效，何不用小先生？卢先生告诉我，四川小学生要会考，想做小先生而不可能。如要提倡小先生，必得打倒会考。我们要停止这毁灭生活力之文字会考，发动一个培养生活力之创造的考成。创造的考成所要考的是生活的实质，不是纸上的空谈。荒山种了多少树？水井开了几口？公路造了几丈？种植改良了多少？副业增加了多少？病苦减少了多少？体力增加了多少？即知即传人的小先生传递先生有多少？少爷小姐书呆子有多少是成了为大众服务的人？团结抵抗强暴的力量增加了多少？有多人是得了追求现代知识的锁匙？

攻破偏枯关

有钱、有闲、有面子，才有书念。中国的教育雨，不落在劳苦人的田园里。中国的教育雨专落在大都会的游泳池里，给少爷小姐游水玩。中国的教育雨不肯到边远的地带去，滋长时代落伍的人民的文化。即使偶然顺着风势落他一阵，也是小雨，不能止渴。要救这偏枯，是在损有余以补不足，中央要补助边疆及穷省；省要补助穷县，县要补助穷乡，乡要补助穷村。遗产税与庚子赔款，是这种补助最好的来源。补助也不限于金钱，人才与材料计划是要同时并进。

攻破多生关

中国人生得多死得多。根据乔启明君四省十一乡村二万余人之调查，平均人口生产为千分之四十二点二，死亡率为千分之二十七点九。依通俗之四万万总数计算，每年要生一千六百八十万，要死去一千一百五十万，两抵增加人口五百三十万。以全国论，灾荒淘汰互相残杀是在大批的进行，实际的增加数怕是没有这许多。依照老法子，每年只增加几十万学生，而人口之增加倒超过十倍之数，那是一万年教育也不会普及。就是我们提议的新法去普及教育，这过分的人口增加也得要统制。（一）民族须有一永久人口升降委员会之组织，随时调查耕地面积之消长，生产技术之效能，生活程度之高下，容纳人口出路之多少，以改定人口升降之比例公布全国，共同遵守。（二）研究一个铜板的避妊法，使全民族都够得上实行。（三）教男子满二十五岁女子满二十岁始可结婚，结婚后服务五年可生第一子，俟第一子入小学可生第二子，以二子为限（子为男子女子之通称）。人口稀少之地带，由人口升降委员会颁布特殊条例。

攻破守旧关

守旧的头脑，是一切进步的大障碍！这旧的里面有许多是骗人的迷信，尤其害人。黑漆一团的头脑，要用科学之光来轰动它，叫它起一种变化向进步方向去思想。电影，无线电话，是两种最重要的工具。我们要普遍的运用它来改造我们的头脑。

攻破自由关

我有我的自由，谁能干涉？我高兴就读书，不高兴就不读。我高兴就教教人，不高兴就不教。这种过分的个人自由，是必得统制。中华民国要个个国民学成一个现代人，任何人拒绝现代化，便是危害民国！必须受法律的处分。有知识的人必须纳知识税，拿自己已得知识去教人。不肯教人的人，不配受教育。既受教育而不肯教人的，以抗税论罪。

攻破不平关

纳税的人得不到教育。拿穷人的血汗钱培养富人的少爷小姐，这是多么不平的一件事啊！婆婆不准媳妇上学，老板不许伙计读书，司务不许徒弟看报，工厂经理不许工人求知识，这又是多么不平的现象啊！攻破这个难关要三面包围：一是用小先生把知识输送到学校的穷孩子的队伍里去；二是立定妨害进步罪，使一切妨害别人求学的人都受法律的制裁；三是一致奋斗要求教育经费之确定与教育权利享受之普及，以实现教育机会之平等。

攻破天命关

中国人是听天由命的，算命先生是整个中华民国之军师，蝗虫飞来，都说虫神，捕灭的人要受天罚。大水来到，说是天公发洪水收人，不想法子治河。因此，大难临头，是没有自信心与它抵抗，连抵抗的念头都不敢起。普及教育者必须攻破天命，唤起人工胜天的自信力。我们所要普及的是创造的人生观。教育界里的人是一样的信天命，他们说：这样穷的国家，教育怎能普及？大众也是只怪自己没有福气读书，命里注定是目不识丁。只要存着这样一个念头，教育就永远不会普及，我们也只须把念头一转抱定一个人定胜天的人生观。向前创造，现代教育就自然而然的普及出去了。

小孩子能做小先生吗？

上面所说的二十七个关口之中，至少有十二个重要关口，都要靠小先生去攻破。小孩子能不能做小先生，成了严重的问题。自古以来，小孩是在教人。但正式承认小孩为小先生，是一件最摩登的事。这正式的承认，到现在，还只是限于少数的实验学校。我们必须使大家承认小孩能做教师，然后教育才能普及。小孩的本领是无可怀疑。我们有铁打的证据保举他们做先生。

一、小孩能教小孩之铁证

（甲）南京，晓庄，佘儿岗的农人自己办了一个农村小学。这个小学里面的校长教师工人都是小孩自己担任。因为他们是自己教自己，所以又称为自动学校，这是我为他们写的一幅小照：

有个学校真奇怪：

小孩自动教小孩。

七十二行皆先生；

先生不生学如在。

（乙）淮安有个新安小学，里面有七个小学生，组织了一个儿童旅行团，跑到上海来。他们没有教师领导，也没有父母照应，只是运用团体的力量制裁个人的行动，他们靠卖书卖讲过活，到上海的那一天袋里只有十块钱，告别上海的时候，却有六十块钱了。该校校长汪达之先生写信来，要我为这些小光棍的价值估一估，我便写了两首诗答复他：

一群小光棍[1]：

数数是七根。

小的十二岁；

大的未结婚[2]。

没有父母带；

[1] 汪校长来信给他们的绰号。

[2] 乡间十六七岁就结婚。

先生也不在。

谁说小孩小?

划分新时代!

在这些小孩子的铁证之下，时代是分成了两个。那个瞧不起穷光蛋和小孩子的时代是永远的过去了。这一边是开始了一个新时代。穷光蛋和小孩子是有不可轻视的力量。

（丙）无锡和宜兴交界处有个地方叫漕桥，漕桥有位青年叫做承国英。他要在西桥地方创办一个儿童工学团，要我代他找人帮忙。经验告诉我们：儿童工学团，只有儿童会办。我便找了一位不满十三岁的侣朋前去助他。侣朋到那儿的使命有二：一是发现当地有能力的儿童，把他们找出来领导全体儿童，共同创造这个儿童工学团；二是对当地的农民表现儿童的力量，使他们相信小孩子有很大的本领。侣朋到西桥的第二天正是元旦，他被邀出席三百多人的一个农民大会，立时把儿童工学团成立。据国英来信说，侣朋是有惊人的成功。的确，他在我们当中，是表现了超越的天才。他教小孩子比我们任何人教得好。

（丁）马莱先生到山海工学团来参观的时候，随便找了一个孩子问了几十个问题。这孩子不但是对答如流，并且与马莱先生舌战一小时之久，卒使马莱先生得一个深刻之印象而去。这孩子便是杜健。他现在只有十三岁，在萧场帮助他的哥哥创办儿童工学团。他正在领导四十几个能上学的小孩，把教育送到一百多位不能上学的小孩的门上去。他已经是个“人的小渔翁”。正撒下生活教育网儿要小孩子。他要一网打尽，不使一个逃掉。

二、小孩能教大人之铁证

依传统的观念来说，只有大人教小孩，那有小孩教大人？传统的教育家没有一个不承认教育只是成人对于小孩之行动。这些洋八股的教育家是闭起眼睛胡说，他们忽略了一半的事实。事实告诉我们，大人能教小孩，小孩也能教大人。如不相信，请看我们的证据。

（甲）我们开始提倡平民教育的时候，家母是五十七岁。她当时就发了一个宏愿要读平民千字课。舍妹和我都忙于推广工作，没有空闲教她。那时小桃才六岁，读完第一册。我们就请他做小先生，教祖母读书。这大胆的尝试是成功了。祖孙二人一面玩一面读，兴高采烈，一个月就把第一册读完。读了十六天，我依据千字课上的生字写了一封信，从张家口寄给家母，她随口读起来，耳便听懂了。今年回想这件事很有意义，便在当年所摄的祖孙读书图上，题了八首诗如下：

吾母五十七，发愤读书籍，
十年到如今，工学无虚日。
小桃方六岁，略识的和之，
不曾进师范，已曾为人师。
祖母做学生，孙儿做先生；
天翻地覆了，不复辨师生。
三桃凑热闹，两眼呆望着，
望得很高兴，祖孙竟同学。
十课十六天，儿子来一信，
老人看得懂，欢乐宁有尽。
匆匆六个月，毕业无文凭，
日新又日新，苦口作新民。

病发前一夜，母对高妈说：
你比我年青，求学要决心。
子孙须牢记，即知即传人！
若作守知奴，不算陶家人。

（乙）中华教育改进社，十年前在清华学校开年会，要教全体社员唱赵元任先生制的《尽力中华歌》。教导员是请了晏阳初先生担任。这首歌是用简谱写的，临时才知道晏先生不认识简谱，恰巧小桃是方才学会这首歌，我心急计生，便教小桃把这首歌教晏先生唱了几遍，晏先生一学会就登台引导全体会众唱起来。会众只知道教导是晏先生，那里晓得他们的太上先生是一个六岁的小孩呢？

（丙）我为自动学校所写的小诗，原稿的第二句是“大孩自动教小孩”。自动学校的小朋友接到了这首诗，就写了一封信来谢我，但是提议要把那个“大”字改为“小”字。他们反问我：“大孩能自动，小孩就不能自动吗？大孩能教小孩，小孩就不能教大孩吗？”我是被他们问倒了。从此，乃是我的先生，我的一字师。

（丁）新安儿童旅行团来沪，不但在中小学演讲，而且在大夏、光华，沪江各大学演讲。我向一位大学教授问，小孩们讲得如何？他说："几乎把我们的饭碗打破！"小孩能教大学生甚至于几乎把传统教授的饭碗弄得有些不稳，虽然是千古奇闻，但确是铁打的事实。

小先生之怀胎是在十一年前。难产啊，到了二十三年一月二十八日才出世。奇怪得很，他一出世便是一个英勇的战士。在这十一个月当中他已攻进了二十三省市。现在全县已经开始普遍采用小先生的有湖北的江陵，浙江的鄞县。安徽教育厅长首先承认小先生为全省普及教育之要图。大上海一带包括特别市，俞塘、高桥、公共租界、法租界、山海工学团已有小先生万余人。上海特别市教育局，在二十四年春天，要总动员从事普及教育运动。宜兴之西桥最进步，没有一个小学生不做小先生。别的地方，如晓庄之佘儿岗，无锡之河埒口，淮安之新安，歙县之王充，山东之邹平、泰山，河北之南关、定县，山西之舜帝庙，广东之百侯，河南的百泉、洛阳、开封，都已有了昭著的成效。现在是分三路进行。一，由人民自动组织全国普及教育助成会及普及教育五人辅助团，于各地推动普及教育。二，起草全国普及生活教育方案，向中央政府建议，以推进全国普及教育运动。三，起草妨害进步罪，由立法院建议列入刑法，以扫除普及教育之障碍。若这三件事能于三个月内完成，则中国普及教育可以在二年之内，树立一坚强之基础，以助成中华民国与大同世界之创造。

中国普及教育方案商讨

一　原则

（一）普及教育之要义

（甲）整个民族现代化　不仅是学龄儿童及失学成人之普遍入学。

（乙）整个生活现代化　不仅是普遍识字，或文盲之普遍消除。

（丙）整个寿命现代化　不仅是四个月、一年、二年、四年之义务教育。教育最重要之成就，在使众人养成一种继续不断的共同求进的决心。我们要对众人养成的态度是：活到老；做到老；学到老。

（二）普及什么教育

普及工以养生、学以明生、团以保生之生活教育。

工是做工，学是科学，团是集团，这三种生活缺少一样便是残废的教育。

（三）认定中国是个穷国，必得用穷的方法去普及穷人所需要的粗菜淡饭的教育，不用浪费的方法去普及穷人所不需要的少爷、小姐、书呆子教育。

（四）社会即学校。社会与学校打成一片。社会教育与学校教育打成一片。

（五）即知即传人。会的教人，不会的跟人学。不会教人的不配受教育。

（六）小孩的力量伟大。信仰小孩子能做小先生。信仰小孩子最好的先生是前进的小孩。认定中国是到了生死关头，好比黄河将要决口，小孩搬一块小石头来也是欢迎的。每一个人的力量都要号召来救命，每一个初识字义或有一技之长的小孩都要号召来做小先生。小先生经过十个月的试验，有如下的优点：

（甲）能解决女子初步教育问题；

（乙）成人跟着小孩追求现代知识，是变成老少年；

（丙）知识不再当作商品买卖；知识为公是成了实现天下为公之坚固基础；

（丁）小先生好比是电线，将社会学校通起电流，又好比是血管，将学校与社会通起血脉，于是社会变成学校了；

（戊）小先生普及教育运动，增加了大先生事业上不少的兴趣。

（七）大众的力量伟大。大众最好的先生是前进的大众。所谓传递先生便是大众自己队伍里跑出来的老师。

（八）来者不拒；不能来者送上门去。

（九）化无用为有用。

（十）损有余以补不足。

（十一）勉求缴纳教育税与享受教育权之接近。

（十二）城乡同进。

（十三）劝导与强迫并行。

（十四）劝人抓住饭碗求进步，不逼人丢掉饭碗上学。

（十五）强迫兴学，强迫教人，强迫求知，三管齐下。

（十六）不能同者，不强其同。

（十七）抓住现成的集团生活，如家庭，店铺，工厂，机关，寺庙，民团，军队，监狱，及现有学校做下层之教育场所。

（十八）运用最新的交通工具输送文化，使文化落后之地带，一齐赶上时代前线来。

二　办法

（一）全国小学生总动员做小先生。

（甲）全国公私立小学校中之小学生，据教育部最近统计有一千一百余万人。每位小学生在校外找到两位不能上学之小孩或成人做他的学生，向小学校长登记后即可称为小先生。在校外学生之所在地，负起他的“即知即传人”之使命。假使有三分之二之小学生做了小先生，我们便可增加一千五百万校外学生。

（乙）依据凡有私塾统计之市县推算，全国至少有一千万私塾学生。私塾改造后，假使有二分之一的私塾学生都成了小先生，每人教导两位，便可增加一千万校外学生。

（丙）店铺里之有知识的学徒，估计至少有一千五百万人。假使有一半做了小先生，每人在店铺中教导两人，便可增加一千五百万位店铺学生。

（丁）依据即知即得传人之原则，小先生的学生立刻又可教导至少一人。甲乙丙三项小先生的学生，总数可以达到四千万。假使这四千万之一半立刻做了小先生，每人至少教导一人，又是增加了二千万。

故全国小先生普及教育总动员令一下，便有六千万人可以向着现代化开步走。

（二）全国识字成人总动员做传递先生。

（甲）全国民众学校学生总数为九十四万四千二百八十九人。假使民众学校学生都成了传递先生，每人再教两位不能上学之人，便可增加二百万人受教育。

（乙）家庭、店铺、工厂、工会、庙宇、教堂、会馆、公所、合作社、衙门、机关、民团、军队里的识字成人约计为八千万人。假使有半数每人教导二人，便有力量再去普及八千万人之教育。

（丙）再依据"即知即传人"之原则，甲乙两项八千二百万识字成人之半数，每人再去教导一人，又可增加四千一百万人。

故全国识字成人总动员令一下，便有一万二千三百万人可以向着现代化开步走。

（三）全国知识分子总动员，辅导普及现代生活教育之推进。

（甲）研究所研究员，专门大学教授、副教授七千人，每人每年必须在假期中抽出至少十日，出席全省普及教育辅导会议，全省教育行政人员讲习会及农村改造会议，并各就专长，依据普及现代生活教育之需要，准备最新材料向教育局长督学及农村改造运动人员贡献。

（乙）专门大学学生及中学教师共十万人，每人每年必须在假期中抽出至少十日，出席县市普及教育辅导会议，及小学教师讲习会，并各就专长，依据普及现代生活教育之需要，准备新材料向前进大众及教师贡献。

（丙）中学学生及小学教师共一百万人，每人每年必须在假期中抽出至少十日，出席乡区普及教育辅导会议，私塾改造会，及小先生联合会，并各就特殊兴趣，依据普及现代生活教育之需要，准备材料向教师及小先生贡献。

（丁）全国不在学界服务之留学生，每人每年必须抽出五日，为普及现代生活教育努力。

（四）全国学校总改造。

（甲）全国学校采用工学团制。工是做工，学是科学，团是集团。工以养生，学以明生，团以保生。没有工做，没有科学，没有集团的力量以制裁个人的行动，都不能算是一个现代的学校。采取工学团制，便能使全国学校现代化。

（乙）依据本地生产性质，学校负有扶助生产大众普及生产工学团之责任。

（丙）小学校改造，除采取工学团制外，全国小学应至少有下列之改革：

（子）每所小学将小学生教导校外学生之工作，列入正课，作为社会服务；

（丑）小学教师在各门功课中宜随时加入小先生应用材料，并以指导考核小先生为职务之一；

（寅）写字一课改为抄课本，发给校外学生读。中小学教师对于大字小字之批改，多半是敷衍了事，改为抄写普及教育所用之课本，则写者与批改者都觉得更有意义。同时是解决了缺少课本一部分之困难。

（丁）私塾改造。

（子）从前改造私塾，多半是招集塾师加以短期讲习会之训练，便加以偶然之视察。因为塾师旧习太深，很难改变，故单招塾师训练，不易见效。现在主张随带能力较大之私塾学生二人共同参加私塾改造讲习会，依据最近试验结果推测，收效谅能较大。

（丑）私塾最缺少者是公用之图书教具。若想从事改造，必须在这些事上加以补助。

（寅）私塾改造讲习会，或每星期一二小时，连续数年，或在假期中集中训练，或二法并用，可看各地情形决定。

（五）文化荒岛总开辟。

（甲）中学校总动员下乡。中国中等学校大多数是挤在城里凑热闹。依据我们估计，全国五百五十四所中学，一千三百二十所初级中学，至少有五分之四即大约一千四百所是应当移下乡去。把城里的地皮房子高价卖掉，在乡下买荒地（但不许圈农民生产之地），造房子，还有余钱干一区的普及教育运动。每中学可在乡下划一百方里为普及教育区。在区内每村办民众学校小学校各一所。各村民众学校小学校，由中学生分组负责进行。每组若干人，依需要而定。民众学校以每日一小时为标准。小学校或全日，或半日，或二小时，依据各地情形而定，不拘一法。民众学校及小学校之学生，仍依“即知即传人”之原则，分布出去教导不能上学之人。

（乙）全国有师范学校八百四十六所。十分之九，即七百五十所是应该迁移下乡。每所师范学校应划一千六百方里为普及教育区。这块区域是东西南北各四百里，师范学校在中央，离最远工作地不过二十余里。依照师范生人数分成几十几百队。每队二人同到一个村庄里去创办一个民众学校和一个小学校。这叫做基本培养。另外还有集中指导，巡回指导，在培养师资一段中再详细说明。

（丙）中学师范的脚迹所很少达到的地方，如西康，青海，宁夏，新疆，蒙古，西藏以及各省内民族文化落后所在地，都应以人民和政府之力量创办中学师范，并在每五百人聚居地创立小学民众学校各一所，至少能容四十人，以工学团之组织，依即知即传人之原则继续推进。

（六）师资培养。

（甲）每一所小学都成为小先生养成所。用传统的名词来说，每一所小学便是一所小师范。全国二十五万所小学便是二十五万所小先生养成所，共可造就一千一百万小先生。

（乙）每一所私塾必须改造，使它成为一所小先生养成所。估计全国私塾有五十万所，平均每所培养二十人，共可造就一千万小先生。

（丙）每一所民众学校都成为传递先生养成所。全国有五万三千八百七十三所民众学校，共可造就一百万传递先生。

（丁）每村或每街或每街之一段必须设一高级民众学校，招收家中铺中已有知识之成人，每天或每星期加以一小时之培养，以广播新知识于大众。

（戊）师范学校之改造。

（子）师范学校采取培养工师之办法，包括个别，巡回，集合三种指导。比方招收艺友（即通常之师范生）二百人。首先举行一个月之集合指导，大略得了几个追求知识之钥匙以后，即立刻分散，每两人组成一队。共一百队，放在一百个村庄里去工作。每队工作区域为十六方里，即四里见方。这两人既到工作区，即物色当地农人及小孩至少二人为他们的艺友，共同进行工学团之创造。这一百队的工作总面积是一千六百方里，成了一个普及教育网，里面包含着一百个工学团，每个工学团五百人，共计是五万人之教育一举而普及。每队学生二人对于日常工作各任半天，余半天自修必阅书籍，由指导员巡回指导。星期日不放假，举行严格之集合指导六小时。[1]

（丑）师范学校，应加小先生指导法一门功课。

（己）招集青年识字民众或农人开办短期农村改造讲习会，教以小先生指导法，工学团原理，合作社组织法，国语，应用算术，乡村卫生，农艺新法，自然，社会等等，使其学成回乡，从事发动乡村改造工

[1] 详细办法请参看《宝山县观澜普及义务教育急成方案》。

作，即为普及现代生活教育之工作。现在国内乡下不安，城里先生不敢下乡，倒不如多多培养本乡青年识字农人，自己负起普及教育之使命。

（庚）每市县须举行小学教师讲习会，每年至少十日。私塾改造讲习会，每年至少四十小时。

（辛）每省须举行省普及教育辅导会议，教育行政人员讲习会，均每年一次。

（壬）教育部召集全国普及教育辅导会议，每年一次。

（癸）各专门大学研究所分工培养普及现代生活教育所需之高等技术人材。

（七）材料工具之供给。

（甲）课本 课本用汉文和国语字母拼音文对照写。汉文和拼音文都以大众语为本据。但为适应各民族特殊需要及促进各民族普及教育起见，应编蒙藏苗傜等民族特用课本，这课本应以各该民族之大众语为根据。运用小学生写大字的纸和时间，抄写课本，以每生每年平均写十二册计算，一共可写三部；连私塾学生在内，二千一百万小学生便可写六千三百万部。小学生的学生也可以写，传递先生的学生也可以写，这样普遍的干起来，每年可得免费教科书一万万套，也不为奇。

（乙）报纸 报纸一律用大众语写，并且必须标点，违者邮局不许代寄。

（丙）电影 设立中央科学电影制造局，以巨资研究制造科学影片，发电机，放映机，免费分送全国各市县乡村镇放映。

（丁）无线电收音机 设立中央无线电收音机制造局，以巨资研究制造无线电收音机，免费分送全国各市县乡村镇教育场所使用。并在适当地点，分区建立大播音台，从事广播现代知识。

（八）现成设备之利用。

（甲）祠堂，庙宇，会议，公所，散学后之学校，以及其他空闲房屋，都运用来做教育场所。

（乙）桌，板凳亦以运用人民自己所有的为原则。

（丙）天气温和晴朗的时候，应充分施行露天指导。

（丁）充分利用日光指导，不必要时应避免运用灯光。教育普及之后，是有八千万家，同时追求知识。八千万盏灯，每晚多点一小时若用菜油，每年便要耗费八千万元。若用洋油每年耗费三万二千万元。可以省的时候，还是省了为是。

（九）流动式的教育。

（甲）市集、茶馆、码头、车站、戏园、电影院里有流动的民众。在这些地方，每次我们都见得着一大群的人，今天的一群不见得就是昨天的一群。也有茶迷戏迷是天天上同一的茶馆，进同一的戏园而且还有一定的时候。我们也要抓住这一些地方，施以有意义的教育。车站上的展览，码头上的壁报，电影院的新知识的插片，茶馆里说书的革新，戏园里小丑说白的讽刺，市集上的公共演讲表演，都是流动教育的可以行动的例子。

（乙）流通图书馆。流通图书馆应普遍设立在学校里，供大众公开。小先生和传递先生可以代他们的学生借书还书。这样，管理员可以减至最少，又可免除一般民众借书之害羞，而图书借还有人负责，亦不致失落。流通图书馆为大众自学之重要机关，必须努力普及。

（丙）修学旅行。旅行为增长知识，扩大眼界之教育法。但现在之团体半价票，仍使有志的工人，农人，小孩子望而生畏。有意义，有组织，有计划之修学旅行应该特别提倡，再行设法将国有车船价目减至最少，或竟酌免，以资鼓励。

（十）文化之特别快输送。

（甲）输送发电机，抽水机及其他农村所需用之机器，火车章程尚有许多不必需的麻烦，应该一扫而空。

（乙）边境所需新书，每每要过一年半载才能收到，要人帮忙也非数月不可。我们应该发起购制普及教育飞机数架，专为输送文化及推进普及教育运动之用。

（丙）无线电广播新知识。

（丁）邮政局对于边疆视同外国，如西藏，新疆寄费之贵，几使现代中国文化不能通过，外国反易与他们接近，是急应革除此弊，使邮费一律，以谋内地与边疆文化之沟通。

（十一）有效之补助。

（甲）中央对文化落后之穷省边疆，在人才，经费，材料上应予以实质之补助。

（乙）各省对于文化落后之穷县，在人才，经费，材料上应予以实质之补助。

（丙）各县对于文化落后之穷乡穷村，在人才，经费，材料上应予以实质之补助。

（丁）省市县政府对于普及教育实验特别努力的机关，在人才经济材料上应予以实质之补助。

（戊）政府应拨款补助劳苦大众智力较高之子女上进，俾能学尽其才，免为贫穷所埋没。

（十二）人民自动之努力。

（甲）设立中国普及教育助成会（另订简章）。

（乙）设立省市县乡边疆华侨等普及教育促成会（另订简章）。

（十三）研究实验。

设立中央普及教育研究所。其宗旨在发现最经济，最迅速，最能持久，最能令人进步的方法，以谋普及大众儿童向上生活所需要之教育（另订简章）。本研究所应与上述农业，工业，交通，艺术，经济研究机关联合互助，探讨新知，培养最高学术人才，以统制全国智慧而为国计民生谋解决。

（十四）全国财力总动员以谋教育之普及。

（甲）确定教育税，务使足敷普及教育之用。在教育税未确定之前，各省财政当局不得藉口取消苛捐杂税，以减少教育经费而陷国民教育于停顿！否则即科以摧残教育动摇国本之罪。在教育费不敷用以前，并须节省军政费以为普及教育之用。

（乙）征收遗产税以为普及教育之用。后人对于先人之遗产，除教养费外，应将遗产余利公诸社会所有。先人对于子孙也只可负担教养费，若将巨产给后人不劳而获，自必养成他吃喝嫖赌，弄得家破人亡。纵使政府不征收遗产税，有钱者为爱护子孙起见，亦当在保留教养费条件之下，悉数捐为普及教育之用。

（丙）指拨公有荒地为普及教育之用。

（丁）指拨美法比意英各国庚款之一半，为普及教育之用。其他一半，为发展各研究所之用。

（戊）行政专员或县长，领导教育局长或督学，到各市乡劝导各公所、会馆、祠堂、寺庙，以原有财产兴学；没有公产或公产不足之处，则劝导出资兴学，坐候到筹定确实办法才离开。十余年前，浙江省有一县长在半年之中兴办一百余校。即是用此办法。

（己）劝导人民以婚丧做寿节省之款，在普及教育上建立纪念。

（庚）劝导人民捐图书文具，或百份，或千份，或万份，或十万份，或百万份。每份盖上捐者姓名，以留纪念。

（辛）扶助各种生产工学团之普遍的设立。每个生产工学团发展到一个时期，便能以自己的力量担负一部分的普及教育费。[1]

（壬）减少中等以上学校假期，并从分量门类上减少向上生活所不需要之功课，缩短中等以上毕业年限（医科除外），以节省之经费充普及教育及增加研究所之用。

（十五）妨害进步罪，婆婆不许媳妇读书，老板不许伙计上学，司务不许徒弟看报，工厂经理不许工人求知识，士大夫不许儿子教小孩子。这是小先生碰到的五个大钉子，也是妨害中华民国进步的大障碍。我们必定要扫除这种障碍，才能前进。要想扫除障碍，下列数条法律，实属必要。

（甲）凡是中华国民及其子女，每人每天至少必

[1] 参看《宝山县观澜普及义务教育急成方案》之棉花工学团。

须有一小时上学或自修之权利。

（乙）凡以特殊地位侵犯他人上学或自修权利者，处一年以下有期徒刑，或一千元以下罚金。

（丙）凡对自愿教人的施以阻止者，处三个月以下有期徒刑，或一百元罚金。

（十六）初步文字教育之预令强迫，文字教育应预令强迫。预令强迫之作用，在提醒一班不识字之民众自动的去请人教。以往的民众教育好像是求人来学。预令既下，民众对于知识的消极的拒绝，可以转变而为积极的追求。

民国二十四年一月一日下令，预告全国民众，限二十四年十二月三十一日前读毕教育部指定几种千字课之一种。至四月一日，七月一日，十月一日下第二、第三、第四次预告令。第一次预告令下后，即令小学生，茶馆说书人，电影院广告，与警察到处逢人宣传，劝其早些求学，不要临时抱佛脚；并说明二十五年一月一日即有识字警察，手指千字课，站在城门口、车站、码头及交通孔道，临时抽验来往行人，检查他们的头脑如同检查行李一样，不识字的则罚愚民捐铜元一枚。预令里还要说及二十五年一月一日以后，家里、店里、工厂里、任何机关里，如有无故不识字的人，按人数每人每月罚银一元。由家长、店主、工厂经理、机关主持人缴纳。识字成人或学生对其负责而不识字之亲友不肯施教者，罚守知奴捐银一角，并公布之。

（十七）考试。

（甲）初步文字教育之考成标准，为学龄以上之人民百分之九十会读千字课，百分之九十五会用汉字签自己的姓名并会写。中华民国第二步之文字教育及普及其他教育之考成标准另订之。

（乙）每所小学私塾至少要有二分之一的小学生做小先生。超过四分之三的小学生做小先生者传令嘉奖其校长、负责之教师及最出力之小先生。不及二分之一者校长受警告，不及三分之一者校长撤职，负责之教师同。

（丙）民众学校之传递先生与学生总数比例之考成，与小学同。

（丁）省教育厅长、县长、教育局长、乡长、教育委员之考成，亦以各管私立小学校、私塾、民众学校之学生总数与小先生总数加传递先生总数之比例为根据，其算法亦与小学同。

（戊）各省、各特别市、各县各市各乡各校之开始考成日期，由上级主管官厅预令发布。但此项预令至迟不得延过民国二十四年六月一日。考核各省成绩之日期，由教育部预令颁布。但此项预令，须于民国二十四年四月一日前颁布。

（己）寻常教师所教学生，以及小先生、传递先生所教学生，将须依部颁表格登记由校长掌管，并作详明统计具报教育局，教育局转报教育厅，教育厅报告教育部，每学期一次，再由上级教育行政长官抽查以凭考核。

（十八）中央普及教育二十四年度预算。

（甲）中央文化落后地带普及教育补助费：二千零五十一万。

（乙）中央科学电影制造局经费：四百万。

（丙）中央无线电收音机研究制造局经费：一百万。

（丁）中央普及教育研究所：五十万。

（戊）中央普及教育辅导会议：一万。

总计：二千六百零二万。

民　主

民主的意义还是在发展，因为它的内容还是在发展。照我看来，真正的民主必须包涵：一，政治民主；二，经济民主；三，文化民主；四，社会民主；五，国际民主。林肯总统在葛梯斯堡所说的“民有民治民享之政府不致从大地上消灭掉”一语，是指政治民主。中山先生所说之民生主义，罗斯福总统所说之无不足之自由，是指经济民主。山海工学团所主张之教育为公，和陕甘宁边区所实行之民办学校，是指文化民主。中国“五四运动”在社会关系上所发动之种种改革，例如男女平等，是走向社会民主。威尔逊总统所提出之民族自决，中山先生所倡导之民族主义，是走向国际民主；然而从英国对印度，对希腊，对安南，对南洋，和美国对日本管制，对原子弹管制的态度行动看来，我们离国际民主之实现简直是十万八千里之远。从总的方面说：古人所讲的话而现在还引导作用的，莫过于“大道之行也，天下为公”；近人毛泽东先生写的《新民主主义》，和中国民主同盟临时全国代表大会所通过的纲领，都系实现真正民主的路线。民主是中国之起命仙丹。民主能叫四万万五千万老百姓团结成一个巨人。民主能给我们和平，永远消除内战之危机。民主好比是政治的盘尼西林，肃清一切中国病。民主又好比是精神的维他命，给我们新的力量，来创造一个自由独立进步的新中国和一个富足平等幸福的新世界。民主第一！人民万岁！

民主教育

民主教育是教人做主人，做自己的主人，做国家的主人，做世界的主人。把林肯总统的话引伸到教育方面来说：民主教育是民有民治民享之教育。说得通俗些：民主教育是人民的教育，人民办的教育，为人民自己的幸福而办的教育。现在把这样教育的内容和方法，扼要提出几点，供给从事举办民主教育的朋友参考。

（一）教育为公以达到天下为公。全民教育以实现全民政治。积极方面，我们要求教育机会均等。对人说，无论男女老少贫富阶级信仰，以地方说，无论远近城乡都应有同等机会享受教育之权利。消极方面，我们反对党化教育，反对党有党办党享的教育，因为党化教育是把国家公器变做一党一派的工具。

（二）教人民肃清法西斯细菌，以实现真正的民主。

（三）启发觉悟性：教人民进行自觉的学习，遵守自觉的纪律，从事自觉的工作与奋斗。

（四）培养创造力，以实现创造的民主和民主的创造。解放眼睛，敲碎有色眼镜，教大家看事实。解放头脑，撕掉精神的裹头布，使大家想得通。解放双手，剪去指甲，摔掉无形的手套，使大家可以执行头脑的命令，动手向前开辟。解放嘴，使大家可以享受言论自由，摆龙门阵，谈天，谈心，谈出真理来。解放空间，把人民与小孩从文化鸟笼里解放出来，飞进大自然大社会去寻觅丰富的食粮。解放时间，把人民与小孩从劳碌中解放出来，使大家有点空闲，想想问题，谈谈国事，看看书，干点与老百姓有益的事，还要有空玩玩，才算是有点做人的味道。有了这六大解放，创造力才可以尽量发挥出来。

（五）各尽所能，各学所需，各教所知，使大家各得其所。

（六）在民主的生活中学习民主。在争取民主的生活中学习争取民主。在创造民主的新中国的生活中学习创造民主的新中国。

（七）尽量采用简笔汉字拉丁字母，双管齐下，以减少识字困难，使人民特别是边民易于接受教育。

（八）充分运用无线电及其他近代交通工具，以缩短距离，使边远地方之人民小孩，可以加速的享受教育。

（九）民主教育应该是整个生活的教育。它应该要工以养生；学以明生；团以保生。它应该是健康，科学，艺术，劳动与民主织成之和谐的生活，即和谐的教育。

（十）承认中国是从农业文明开始渡到工业文明，经济是极端贫穷。我们必须发现穷办法，看重穷办法，运用穷办法，以办成丰富的教育。开始的时候，惟独这样办才能使绝大多数之劳苦大众及其小孩得以享受教育；否则，只有少数少爷小姐享受教育，不能算是真正的民主教育。

小学教师与民主运动

我这次到上海，在一个小宴会上，听了几句令人深思的话。我的朋友说：抗战八年来，五位教师之中，有一位逃难去了，一位做生意去了，一位变节了，一位死了，只剩了一位仍旧还在这里做教师，我们是多么寂寞啊！我说剩下的这一位，头上是裹着裹头布，嘴上是上了封条，肚子是饿凶了，被迫得只有干腌菜喂后一代。我们接着谈论胜利后的他们：逃难的难得回乡；做生意的倒胜利霉；变节的无法带罪立功；死者不可复生；站在岗位上的，头上的裹头布仍旧裹着，嘴上的封条仍旧封得很紧，肚子饿得更凶了，除了干腌菜还没有别的精神粮食给学生吃。这谈话指示我们，如果我们要为民主奋斗，我们得加强自己，改变自己，武装自己，而且要为教育招兵，为民主募马。

首先我们自己需要再教育，再受民主教育。中华民国虽然成立了三十五年，我们只上了很少的民主功课。细算起来，民国初立的几个月，推翻袁世凯的几个月，“五四运动”后的一两年，推翻复辟后的几个月，“五卅惨案”以及北伐前后的一两年，“一二·九”到抗战开始后一年，算是断断续续的上了几课，但是一曝十寒，胜不过二千年传下来的专制毒，和这十余年来的有系统的，反民主的，变相的法西斯蒂训政。特别是我们做教师的人，需要再教育来肃清一切不民主，甚至反民主的习惯与态度，并且积极的树立真正的民主作风。校长对于我们，我们对于学生，多少都存在着一些要不得的独裁作风。中国现在，自主席以至于校长教师，有意无意的，难免是一个独裁，因为大家都是在专制的气氛中长大，为独裁作风所薰陶，没有学习过民主作风。我们所要学习的民主作风，至少应该包含这些：

（一）民为贵。人民第一。一切为人民。

（二）天下为公。文化为公。不存心包办，或征为私有。

（三）虚心学习，集思广益，以建立自己的主张。

（四）自己要说话，也让别人说话，最好是大家商量。自己要做事，也让别人做事，最好是大家合作。自己要吃饭，也让别人吃饭，最好是大家有饭吃。自己要安全，也让别人安全，最好是大家平安。自己要长进，也让别人长进，最好是大家共同长进。

（五）民主未得到之前，联合起来以争取民主为己任，人民基本自由得到之后，依据民主原则共同创造，创造新自己，创造新家庭，新学校，新中国，新世界。

这是一种全新的生活方式，我们必须天天在实际的生活中学习，学习再学习，才能习惯成自然，造成民主的作风。

个人学习不如集体学习，偶尔学习不如经常学习。为着进行经常的集体学习，最好是联合起来组织社会大学，星期研究会，以实施共同之进修。这些新的学习组织，在重庆已经施行有效，应该在各地举行办起来；以应好学的教师与好学的青年的需要。孔子说："学而不厌，诲人不倦。"我看出这两句话有因果的关系。惟其学而不倦才能诲人不倦；如果天天卖旧货，索然无味，要想教师生活不感觉到疲倦是很困难了。所以我们做教师的人，必须天天学习，天天进行再教育，才能有教学之乐而无教学之苦。自己在民主作风上精进不已，才能以身作则，宏收教化流行之效。我们在民主作风之外，要学习的东西很多，应该按着自己的兴趣，才能和工作岗位的须要继续不断的学习，活到老，学到老。但是最重要的不能忘了社会科学。每一位现代的教师，必须把基本的政治问题，经济问题，世界大势，社会的历史的发展和正确思想方法弄清楚，最好是要参加教师进修的组织，如社会大学，星期研究会，凭着集体的力量督促自己长进，在没有社会大学或星期研究会的地方，小学教师们应该主动发起创办。这是如同吃饭一样的急不容缓，不可等待。

我们进行自我再教育，不能没有先生，我们要三顾茅庐请出第一流的教授来帮助我们进行各项学习。第一流的教授具有两种要素：（一）有真知灼见；（二）肯说真话，敢驳假话，不说诳话。我们必须拿着这两个尺度来衡量我们的先生。合于此者是吾师，立志求之，终身敬之。

在各位大师之中，我要介绍两位最伟大的老师。

一位就是老百姓。我们要跟老百姓学习，学习人民的语言，人民的情感，人民的美德，努力发现老百姓的问题，困苦，和他们心中所希望达到的目的，并认识他们就是中华民国真正的主人，要他们告诉我们怎样为他们服务才算满意。我愿把我写的一首小诗献给每一位小学教师，共同勉励：

民之所好好之，民之所恶恶之。教人民进步者，拜人民为老师。

还有一位最伟大的先生要介绍，那就是小孩子——我们所教的小学生。我们要跟小孩子学习，不愿向小孩学习的人，不配做小孩的先生。一个人不懂小孩的心理，小孩的问题，小孩的困难，小孩的愿望，小孩的脾气，如何能教小孩？如何能知道小孩的力量？而让他们发挥出小小的创造力？

惟独肯拜人民与小孩为老师的人，才能把自己造成民主的教师，也只有肯拜人民与小孩为老师的，那民主作风才自然而然的获得了。

其次，就是运用民主作风教学生，并与同事共同过民主生活，以造成民主的学校。教育方法要采用自动的方法，启发的方法，手脑并用的方法，教学做合一的方法，并且要使学生注重全面教育以克服片面教育；注重养成终身好学之习惯以克服短命教育。在现状下，尤须进行六大解放，把学习的基本自由还给学生：一，解放他们的头脑，使他能想；二，解放他的双手，使他能干；三，解放他的眼睛，使他能看；四，解放他的嘴，使他能谈；五，解放他的空间，使他能到大自然大社会里去取得更丰富的学问；六，解放他的时间，不把他的功课表填满，不逼迫他赶考，不和家长联合起来在功课上夹攻，要给他一些空闲时间消化所学，并且学一点他自己渴望要学的学问，干一点他自己高兴干的事情，还要把工友当作平等的人和他们平等合作。只有校长教师学生工友团结起来共同努力，才能造成一个民主的学校。

再其次，要教学生为民主的小先生。我们不把小孩单单当作学生教。最重要的教育是“给的教育”，教小孩拿出小小的力量来为社会服务。人生以服务为目的，不是毕业后才服务。在校时，就要在服务上学习服务。

学生最好的服务是做小先生，拿学得的知识教给人。中华民国是一个公司；四万万五千万人联合起来做老板。男人是男老板；女人是女老板；大人是大老板；小孩是小老板；大家都是中华民国的老板；大家都是中华民国的主人。拿这种浅显而重要的意思由学生一面学，一面教给不能进学校的老百姓，他们变成了民主的小先生。一位先生教四十位学生，照老法子，他只是四十个学生的先生。如今把这四十个学生变成小先生，每位小先生平均帮助五个人，便能帮助二百人，连原来的四十人，便是一位二百四十人的先生，力量与贡献大得多了。这样，学校变成了发电机，学生变成了四十根电线，通到每一个家庭里去，使四十家，乃至二百四十家都发出民主的光辉来，这不能算是小学教师的重要任务吗？

再其次，要教民众自己成为民主的干部。小学教师应该是民主的酵母，使凡与他接触的人都发起酵来，发起民主的酵来。农人，工人，商人，军人，官吏，学生家属，只要一接触便或多或少，起一点变化，顶少要对民主运动减少一点阻碍，顶好是一经提醒，便成了民主的斗士；乃至成为民主的干部，大家起来创造一个名副其实的中华民国。去年中秋，当我亲眼在四川看见一位老农拿出那插在腰背后的旱烟管来，指挥他的七位学生，一连合唱了八个歌曲，我好像是看见了新中国的前途。这样可贵的，从人民中产生出来的民主干部，将来是要几十万几百万的产生出来。发现他们，培养他们，是小学教师不可放弃的天职。

最后，争取民主以保障生存权利与教学自由。小学教师值得几文钱？是我这次到上海来看见从前乃英先生写的一首感动人的歌曲：

> 小学教师值几钱？五元钱一天，教一天，算一天。请假一天扣工钱。不管你喊哑喉咙。不管你绞尽脑汁。不管你坐弯背腰。不管你饿凶肚皮。预支不可以。小学教师值几钱？要求提高待遇，还没有这种福气。

这首歌的末一句，我提议修改为“争民主奋斗到底”。提高待遇，只有民主才有保障。现在的尊师运动，必须包含争取民主，才能将一时救急的办法，变成经常安定的办法。如不争取民主，使真正的民主政治，民主经济，民主文化全盘兑现，我们必定是一辈子陷在“吃不饱来饿不死”的地狱里。所以为着提高生活待遇，我们必须参加在整个国家民主斗争里面去，实现天下为公，有我们自己的一份在内。

教师的职务，是“千教万教，教人求真”。学生的职务，是“千学万学，学做真人”。这教人求真和学做真人的教学自由，也只有真正的民主实现了才有可能。在不民主的政治下，说真话做真事的人是会打破饭碗，关进集中营，甚至于失掉生命。因此这教学自由，也是要在整个的人民基本自由中全盘解决。让我们和人民站在一条战线上，争取真正民主的实现。共同创造一个独立，自由，平等，进步，幸福的新中国。

民主教育之普及

民主教育一方面是教人争取民主，一方面是教人发展民主。在反民主的时代或是民主不够的时代，民主教育的任务是教人争取民主。到了政治走上民主之路，民主教育的任务，是配合整个国家之创造计划，教人依着民主的原则，发挥各人及集体的创造力，以为全民造幸福。

无论是争取民主或是发展民主，都要靠广大人民的群策群力才会成功。这广大人民在数量上是越广大越有力量，在认识上是认识得越深刻越有力量。因此民主教育需要普及。我们所要普及的是救命的民主教育，要全国老百姓无论男女老少贫富，都能很快的得到救命民主教育。

但是中国现在还是一个农业国，大家靠着一双手和锄头斧头生产，所以生活是穷苦得很；尤其是经过一百年的帝国主义侵略，三十多年的内战和八年的抗战，弄得万分穷苦。我们要在穷社会里找出穷办法来，教一切穷人都得到教育，得到丰富的教育，得到民主的教育，才算是达到了我们普及教育的目的。

大概是六年前，我在成渝公路上的来凤驿住了一晚。吃晚饭的时候，有一群苦孩子来到面前讨饭，我们就把吃不完的饭菜统统给了他们。他们高兴地吃完之后，还是站在门口玩耍闲谈。我乘这个机会点着他们好学的火焰。我问："你们如果愿意读书，我很愿意帮你们的忙。""愿意，我们没有书。"我指着对门一块招牌"中华餐馆"说："这就是书。"又指着另一块招牌"民国饭店"说："那也是书。"我便引导他们开始读书：

中华餐馆；民国饭店。

中华民国；中华国民。

中国；国民。

（我是）中华国民，（我爱）中华民国。

读完，我看见一个标语“有力出力，有钱出钱”，于是又开始引导他们读第二课：

有力出力，有钱出钱。

有力出力（又）出钱，有钱（不）出钱（又）（不）出力。

读完了，我问：“要不要学写字？”一个小孩子说：“没有笔。”我拿出我右手的第二个指头说：“这就是笔。”又一个小孩子说：“没有纸。”我拿出左手的手掌说：“这就是纸。”于是我就教大家学写字。对着招牌和标语学写，写了四五次，我又叫他们围在一张八仙桌的周围，看我在桌上写字，然后让他们自己在桌上学写。每人都用指头，沾点清水在桌上写，读的字都会写了。后来，我想把这工作继续下去，就教他们组织起来，推举了一个聪明而能干的小孩做队长，带领着别的小孩每天在街上学习，并公请我住的旅馆老板做先生。这组织与推举也可算是一点民主教育。这办法算是顶穷的办法了。但是来凤驿的十几位苦孩子，便因此而受了民主教育的洗礼，并因此而立下继续求学的原始组织。只要知识分子念头一转，肯帮助人好学，不须花费一个钱，便可以帮助老百姓识字，受到民主的教育。如果全国八千万识字的人都肯这样做，都肯即知即传，而且跟他们学的人也即知即传，那四万万五千万的普及民主教育不是有了办法吗？因此动员这八千万识字的人来进行普及民主教育是一件顶大的事，也是一件可能做到的事。教人、好学，都是传染的，等到大家都传染了教人好学的习惯，便教人好学成了瘾，整个中华民族便成了一个教人好学的民族，万万年的进步是得到了保证。古人云：学然后知不足。一个人感到不足，他便要向高处追，向深处追，是不会有止境了。因此民主教育不但可能做到全面普及，并且可能做到立体的普及。

实施民主教育的提纲

今天只是提出一些问题作为日后讨论的提纲，希望大家予以修正补充和指教。

一　旧民主与新民主

旧民主，是少数资产阶级作主，为少数人服务。新民主，是人民大众作主，为人民大众服务。

二　创造的民主与庸俗的民主

庸俗的民主是形式主义，平均主义，只是在形式上做到如投票等等。创造的民主是动员全体的创造力，使每个人的创造力得到均等的机会，充分的发挥，并且发挥到最高峰，所以创造的民主必然与我以前所讲的民主的创造有关联。民主的创造，是要使多数人的创造力能够发挥。在专制时代，少数人也能创造，但多数人的创造的天才被埋没，或因穷困忙碌而不能发挥，即使发挥也会受千磨万折。受到极大的阻碍。民主的创造为大多数人的创造，承认每一个人都得到创造的机会。这是与专制的创造不同的地方。

三　民主运用到教育方面来

民主运用到教育方面，有双重意义：第一，民主的教育是民有、民治、民享的教育。“民有”的意义，是教育属于老百姓自己的。“民治”的意义，是教育由老百姓自己办的。例如从前山海工学团时代，宜兴有一个西桥工学团，是老百姓自己办的，农民自己的孩子把附近几个村子的教育办起来，校董是老百姓，校长也是老百姓。又如晓庄学校封闭后，晓庄学生不能回晓庄办教育，而老百姓又不要私塾，所以小孩子自己办了一个佘儿岗自动小学。又如陕北方面是提倡的民办教育，也都是这意思。“民享”的意义，是教育为老百姓的需要而办的，并非如统制者为了使老百姓能看布告，便于管理，就使老百姓认识几个字。由此可见有了民有、民治、民享的政治，才有民有、民治、民享的教育。

第二，民主的教育必须办到各尽所能，各学所需，各教所知。各尽所能，就是使老百姓的能力都能发挥。各取所需，因为经济条件没有具备，所以办不到。但各教所知是可以做到的。在民主政治下，特别是中国有许多人民没有受教育，要需要多少教员才能把各地教育办起来？如一人能教四十人，二百万教师才能教八千万小孩。这些教师是师范所不能训练出来的，所以还必须每人各教所知。各尽所能，各学所需，各教所知三点都办到了，民有、民治、民享的教育也就成功了。

四 教育的对象或教育的目的

“文化为公”，“教育为公”，是教育的目的，但又不妨因材施教。国民教育，与人才教育略有不同。国民教育，是人人应当免费受教育，但如有特殊才能的，也应加以特殊的教育，使其才能能充分发挥，这就是人才教育。但人才教育并不是教他们升官发财，而是要他们将学得的东西贡献给大众，所以这也是“文化为公”。

男女也应有平等受教育的机会。目前有些地方，例如南充男女界限分得很严，男女学生不能互相说话，这种地方，女子教育一定不发达。

无论贫富，也应该有均等受教育的机会。前次社会组在草街乡调查失学儿童，占学龄儿童的百分之七十四。能来中心小学读书的儿童，大多是小地主的孩子，佃农恐怕很少。民主教育要使穷人也有受教育的机会。

无论老少，也应该受教育。生活教育很早就提出活到老，学到老。最近听说西北也是如此。生活教育运动中最老的学生为八十三岁之王老太太，她说：“我也快进棺材了，还读什么书？”但经她的孙儿曾孙的鼓舞，她的热情也烧炽起来了。因为她的缘故，她的媳妇也得读书了。

还有资格的问题：现在是有资格就能上进，没有资格就该赶出大门外。但民主教育是只问能力，不问资格的。本来资格是有能力的证明，既有直接的证明，又何须资格。只要证明是有能力的就可上进。

民族教育现在也成一个问题。过去把少数民族取名为边民，不承认他们为民族。我们对于同族苗子等小民族的教育，强迫他们学汉文，还要用汉人教师去教他们。但民主教育是让他们学习他们自己的文字，没有文字的，就帮助他们制造文字，让他们自己办学校学训练各民族的人才来教育他们自己的人民。过去蒙古人受教育时，是雇人来上课的。这种教育又有什么用？

还有一点，无论什么阶级，都要有受教育的机会。受教育的机会被剥夺最多的是农工及子弟。农工阶级忙碌一天，还陷入吃不饱饿不死的状态，当然再谈不到受教育。民主教育是要力求农工劳苦阶级有机会受教育。

总结起来，“教育为公”就是机会均等：入学时求学的机会均等，长进的机会均等，离校时复学的机会均等，失学时补习的机会均等，而且老百姓有办学管教育的机会。

五　民主教育的方法

民主的教育方法，要使学生自动，而且要启发学生使能自觉，要客观，要科学，不限于一种，要多种多样，因材施教，要生活与教育联系起来，并且在中国要会用穷办法，没钱买教科书，用尽种种办法来找代用品，招牌可以作课本，树枝可以作笔，桌面可以当纸张。×路军行军时，带着一套文化工具，即是一枝木笔，行军停下来时，就在地下画字认字。新民主主义既是农工领导，就必须用穷办法使老百姓受教育。单是草街子如每人买一枝铅笔，就要花去四十万元，因此只有不用铅笔另想穷办法，想出穷办法，才能做到教育为公。

另外还有一个办法，学生不能来上课的可以去上课，“来者不拒，不能来者送上门去”，看牛的送到牛背上去。这样“教育为公”才有办法。最后，我们必须重提要着重创造，让学生自动的时候，不是让他们乱动，而是要他们走上创造之路，手脑并用，劳力上劳心。这需要六大解放：（一）解放眼睛——不要带上封建的有色眼镜，使眼睛能看事实；（二）解放双手；（三）解放头脑——使头脑从迷信成见命定，法西斯细菌中解放出来；（四）解放嘴——儿童应当有言论自由，有话直接和先生说，并且高兴心甘情愿和先生说。首先让先生知道儿童们一切的痛苦；（五）解放空间——不要把学生关在笼中，在民主教育中的学校应当大得多，要把大自然大社会作他们的世界。空间放大了，才能各学所需；扩大了空间，才能各教所知；扩大了空间，才能各尽所能；（六）解放时间——不是以此标榜，然而并未完全做到。师生工友都应当有一点空闲的时间，可以从容消化所学。从容思考所学，并且干较有意义的工作。

六　民主的教师

民主的教师，必须要有：（一）虚心；（二）宽容；（三）与学生共甘苦；（四）跟民众学习；（五）跟小孩子学习——这听来是很奇怪的，其实先生必须跟小孩子共甘苦，并不是说完全跟小孩子学，而是说只有跟小孩子学，才能完成做民主教师的资格。原来即是专制教师，现在民主国家的领袖，都是跟老百姓学。否则即成专制魔王；（六）消极方面：肃清形式、先生架子、师生的严格界限。

七　民主教育的教材

民主教育的教材应从丰富中求精华。教科书以外求课外的东西，并且要从学校以外到大自然，大社会中求得活的教材。

八　民主教育的课程

（一）内容。现在人民所以大部分在贫穷中过生活，因为贫富不均，所以了解社会是很重要的。另外科学不发达，不能造富，所以应该有科学的生产，科学的劳动。抗战如不能胜利，整个中国就完了！因此教育要拿出一切力量来争取胜利，要启发民众，用一切力量来为抗战为反攻而努力。

（二）课程组织。组织应敷成多轨，即普及与提高并重，使老百姓都能受教育，并且有特殊才干也能发挥。

（三）课程要有系统，但也要有弹性，要在课程上争取时间的解放。

九　民主教育的学制

民主教育的学制，包含三原则：单轨出发。学制在世界上各国分成几种，如德国的学制是双轨制，穷苦的人民，受国民教育，再受职业教育。有钱的人，则由中学而直升大学。民主教育开始是单轨，不分贫富以单轨出发，以后依才能分成多轨，各人所走路线虽不同，但都将力量贡献给抗战，贡献给国家，这叫多轨同归。并且还要换轨便利，让他们在才干改变时有调换轨道的便利。

旧时的学校，学生忙于赶考。赶考是缩小学生时间的一原因，并且使学生没有时间思考。民主教育也是要考的，但不要赶考，而是考成。也不鼓励个人的等第，只注意集团的成绩。而成绩也不以分数定高下。

民主也不是绝对的自由。民主有民主的纪律，与专制纪律不同。专制纪律是盲从。民主纪律是自觉的集体的，不但要人服从纪律，还要人懂得为什么。

此外应当普泛的设立托儿所，农村的，工厂的，公务员的，可以将妇女从家庭中解放出来。在大学，要做到下列几点：（一）入学考试不应过分着重文凭，应增加同等学力录取比例；（二）研究学术自由，读书自由，讨论自由；（三）增设补习大学及夜大学。这应该跟日本学，在日本夜大学很多。我们要帮助工厂里的技术工人，合作农场中的技术农人，得到受大学教育的机会。至于留学政策，凡是在中国可以学到的应在中国学，请外国教授来中国教。如设备不可能在中国设置的学科，才能派大学毕业有研究能力的研究生出外留学。

十　民主教育的行政

（一）鼓励人民办学校，当然人民自己所办的，并不能像美国私立学校那样宣传某种宗教的偏见，而是为民主服务。

（二）鼓励学生自己管自己的事。

（三）肃清官僚气的查案，以及资格的作风，视察员及督学有三个作用：（1）鼓励老百姓办学；（2）考察学校是否合乎民主道理；（3）不是去查案，而是积极指导学校如何办得好。老百姓的学校，大概粗糙简陋，所以视察员到时，不是带来恐怖，而是带来春风。

民主的校长，也有四种任务:（1）培养在职的教师，教师是从各处来的，校长应负有责任使教师进步；（2）通过教员使学生进步并且丰富的进步；（3）在学校中提拔为老百姓服务的人，如小先生之类；（4）应当将校门打开，运用社会的力量，使学校进步，动员学校的力量，帮助社会进步。他应当有社会即学校的观点，整个社会是学校，学校不过是一课堂，这样才能尽校长的责任。并且对于大的社会，才能有民主的贡献。而学校本身就可以成为民主的温床，培育出人才的幼苗。

十一　民主的民众教育

有人民的地方，就是民主教育到的地方。家庭，店铺，茶馆，轮船码头，都是课堂。甚至防空洞中，也可以进行教育。博物馆，电影院，图书馆，都是进行有系统的教育地方。应当请专家讲演，深入浅出。没有专家的地方，也应有好的办法，使老百姓无师自通。

十二　民主教育的文字

要老百姓认二千个字，好比要他们画二千幅画。有人说汉字太难，应当打倒，有人主张，不用拉丁化，而用注音字母。我主张汉字，新文字，注音字母三管齐下。（一）认得汉字的人，照估计有八千万人，假使最低估计有五百万人可能教汉字，这是一股很大的力量，我们不但不用推倒它，而要运用它。（二）运用新文字教老百姓，我们在上海试过，教起来非常方便。一个月就可以使老百姓看懂信件。学过英文的人，三个钟头就可以学会。（三）醉心注音字母也好，就用注音字母来帮助老百姓。我希望文字也像政党似的来一个民主联合，汉字好比是板车木车，注音字母好比是汽车，新文字好比是飞机。各种文字的提倡人联合起来，做到多样的统一。

大众的艺术

我们生活教育运动自从订了四大方针，即民主的、大众的、科学的、创造的方针，即于去冬在育才学校里开始实行。那时我首先感觉到育才学校的艺术各组是和大众脱节，我便对这个问题加以深刻的考虑。因为筹款的关系，我在城里的时候比较的多，因此对于绘画组的学习方法，作品，对象都加以留意。老实说，我对于绘画完全是外行；我只是拿大众的尺度来量。我为自己配了一副大众的眼镜来观察。我的观察和分析，在一次朝会的演讲上结了晶。当天，彭松同志把我的讲词记录下来，拿给我看，并且对我说，校长今天的讲词简直是一篇诗，我听了很高兴，但是觉得我自己的讲词还遗漏掉一些意思没有包括进去，总想抽空补充，使成完璧，再为发表，只因事忙，一直到两星期前才补充好代他投入

《民主星期刊》，当时未经登出。后来觉得还是登在《民主教育》上更为适合，而《民主星期刊》编者偏索不得，想是失落了，甚为遗憾。幸而诗里的要点是自己观察深思的结晶，常常浮出脑海，今日黎明前在梦中又得了三四句，醒过来，怕忘掉，即刻把它留在纸上，是比较完整了。彭稿有五段，这里只有一段，将来彭稿找出时，当再发表。我在这里要向彭松同志致谢，因为没有他的诗化的记录，我根本没有想到那天的讲演是一篇诗。最后，力扬先生当时说我所讲的不但是为绘画组说法，而且对于音乐组，戏剧组，舞蹈组，文学组皆同样的指出了应该走的路。这话我细想之后，也有道理。

为老百姓而画

为老百姓而画，
到老百姓的队伍里去画。
跟老百姓学画，
教老百姓学画。
画老百姓，
画老百姓的爸爸，

画老百姓的妈妈，

画老百姓的小娃娃。

画出老百姓的好恶悲欢，作息奋斗。

画出老百姓之平凡而伟大。

希望有一天老百姓都欢喜挂我们的画，

尤其欢喜挂他们自己画的画。

把画送进每一个劳苦的人家。

使乡村美化，

使都市美化，

使中国美化，

使全世界美化，

给老百姓一个安慰，

将老百姓的智慧启发，

刺激每一个老百姓的创造力，

创造出老百姓所愿意有的新天下。

社会大学颂

青天是我们的圆顶，
大地是我们的地板。
太阳月亮是我们的读书灯，
二十八宿是我们的围墙。
人民创造大社会，
社会变成大学堂。
大学之道，在明民德，在亲民，在止于人民之幸福，
是我们创造之新主张。
什么是民德？
要目有四项：
觉悟，联合，解放，
还有创造——要捣碎痛苦的地狱，
创造人间的天堂。

教人民做主人，

不让公仆造反。

为老百姓服务，

不靠高调唱得响。

农场，工场，会场，商场，广场，战场，娱乐场，

都是我们数不尽的课堂。

我们要各尽所能，各学所需，各教所知，各得其所。

我们要自由，自动，自强。

我们要民有，民治，民享。

自己来发起。

自己来筹款。

自己选董事。

自己选校长。

请真理做老师。

学生有三百六十行。

只要虚心学，

乡人不出村，

个个考博士；

农人可以中状元。

老妈子可以中状元。

荣誉军人可以中状元。

而且不间断；

能知万里远。

行行出状元。

工人可以中状元。

失学的青年可以中状元。

先办夜大学，

夜间失学无人管，

职业青年千千万。

格物致知久已旷，

万仞宫墙飞不进，

教育制度缺一环。

要想深造丢饭碗，

丢掉饭碗家人靠谁养。

只有白天做工夜求学，

肚皮头脑都饱满。

次办函授大学，

文化交流信来往。

再办新闻大学，

运用报纸助座谈。

再办电播大学，

广播教育范围广。

太太和老妈，

在家里也能听讲。

电影教育更深刻：

谷子变成秧，

秧子变谷子，

可以见生长。

原料出矿山，

走进机器房。

几个弯一转，

飞机出工厂。

最后办旅行大学，

走遍南北西东和中央。

还要渡海飘洋，

跟老百姓学习，

陪着老百姓向前向上长。

我们要有演讲调查队，

还要歌舞话剧团：

献演唧格办，

朱大嫂送鸡蛋，

王大娘补缸，

还带去民族舞，

来自新疆，蒙古和西藏。

还要带电影。

到处要放映：

鸡蛋怎样生小鸡？

大羊怎样生小羊？

五谷怎样生长？

棉花怎样改良？

汽车怎样制造？

钢铁怎样出产？

还要放映生路，一曲难忘，在敌人后方。

放映一曲难忘。

我们要走遍天涯海角，

让老老少少男男女女都来看，

都来看，

都来玩，

都来想，

都来干，

把中国造成一个好模样，

叫整个民族安居乐业，

万寿无疆。

这就是我们的树立大学堂。

只怕先生少，

不怕学生旺。

来一个，收一个。

来两个，收一双。

来一千，收一千。

来一万，收一万。

全中国四万万五千万，

全世界二十万万二千万，

如果愿意这样干，

都欢迎加入这个大学堂，

国民党，

共产党，

中国民主同盟，

各派各党，

无派无党，

大家一起来，

创办这个社会大学堂，

人民大学堂，

民主世界大学堂。

卅五，一，二。

社会大学运动

社会大学有两种：一是有形的社会大学；二是无形的社会大学。社会大学运动是要把有形的社会大学普及出去，并且要给无形的社会大学一个正式的承认，使每一个人都承认这无形的社会大学之存在，随时随地随事进行学习。

无形的社会大学，是只有社会而没有“大学”之名。它是以青天为顶，大地为底，二十八宿为围墙，人类都是同学，依“会的教人，不会的跟人学”之原则说来，人类都是先生，而且都是学生。新世界之创造，是我们的主要的功课。无形的社会大学，虽无社会大学之名，实实在在它是一个最伟大的大学，最自由的大学，最合乎穷人需要的大学。我们穷人一无所有，有则只有这样一个社会大学，这无形的社会大学既然是我们的，我们就应该承认它，认识它，把它当作我们自己的宝贝，运用它来教育我们自己，使自己和同伴近邻养成好学的习惯，活到老，学到老，进步到老。把这个意思打进每一个人的心里，是社会大学运动的第一个任务。

当黄齐生先生参加中华职业教育社的一个会议的时候，他在名字单上是列为第一名。有些青年干部不服气质问主席说，黄先生是那个大学毕业的？江问渔先生回答："黄先生是社会大学毕业生。"大家才没有话说。江先生所说的社会大学，便是我所指的无形的社会大学。黄齐生先生既因这无形的社会大学而有所成就，让我们大家都紧紧的把握着这个大学来进行学问，追求真理，以为老百姓服务。

有形的社会大学是夜大学，早晨大学，函授大学，新闻大学，旅行大学，电播大学。

重庆开办的社会大学，是夜大学，纯粹由职业青年自动创办的。有些地方的职业青年，早晨要到九点钟才上工。早晨可以进行二三小时的学习，便可以开办早晨大学，以应这种青年之需要。

可能进夜大学早晨大学的青年，依我估计中国足足有四百万人。每年高中毕业生有十一万人，能考取正式大学者只有一万多人，那末每年就是九万多人不得其门而入。人生从十六岁到四十岁，至少应该努力学习。这样算来便有二百六十万人，除去死亡害病十六万，应有二百万高中毕业生，要求社会大学予以进修的机会。

此外还有大学一年级、二年级、三年级删下来，而不得不找工作养活自己的青年。还有受过大学四年级教育的人，而觉得时代已经变动需要再学习。还有大群的自学青年，倘使得到社会大学的便利，进步可能更为迅速。只要能听讲而又能记笔记，便有入学资格。这样估计起来，至少再加二百万人，因此，我估计中国全国有四百万职业青年需要社会大学帮助他们进修，我们应该在全国展开社会大学运动，在各大都市建立夜大学和早晨大学，来应济这广大的需要。正统大学能附设夜大学、早晨大学固然可以，但是单独设立尤有必要。它可以由职业青年，进步学者或热心社会人士分头或合力发起组织。一切要简而易行，不要让自己的幻想野心把办法弄得太困难，而阻碍了发展与普及。普及与发展夜大学、早晨大学，是社会大学运动的第二个任务。

至于函授大学，电播大学，是要集中的办。旅行大学，包括海陆空三方面。新闻大学，是以好报为中心，辅以好杂志，并助以经常的座谈会。把这几种事业有效的办起来，是社会大学运动的第三个任务。

社会大学，无论有形的无形的，要有一个共同的大学之道。孔子的大学之道是，在明明德，在亲民，在止于至善。现在时代不同了，我们提议修改几个字，成为：

> 大学之道：在明民德，在亲民，在止于人民之幸福。

社会大学之道，首先要明白人民的大德。人民的大德有四：（一）是觉悟。人民要觉悟中华民国是一个大公司，个个国民都是老板：男的是男老板，女的是女老板，大的是大老板，小孩是小老板。（二）是联合。做老板要有力量，力量从联合而来。不联合没有力量，凶恶的伙计是不会理睬我们的！所以要联合，四万万五千万人要联合起来做老板才行。（三）是解放，有了力量便需进行解放。我们要联合起在进行解放的斗争中增长我们的力量。我们要学习争取六大解放:（1）头脑解放，（2）双手解放，（3）眼睛解放，（4）嘴解放，（5）空间解放，（6）时间解放。（四）是创造。解放出来的力量要好好的用，用在创造上，创造新自己，创造新中国，创造新世界。

社会大学之道，要亲近老百姓。我们认为亲民的道理，比新民的道理来得切。我们要钻进老百姓的队伍里去和老百姓亲近，变成老百姓的亲人，并且要做到老百姓承认我们的确是他们的亲人。

社会大学之道，是要为人民造幸福。一切的学问，都要努力向着人民的幸福瞄准。所谓人民的幸福，用老百姓自己的话说便是福禄寿喜。照着人民所愿望的福禄寿喜四大幸福进行，我们的学习才于人民有益，才配称为社会大学。也只有社会大学与人民幸福打成一片，而后社会大学运动才为人人应该参加的富有意义的大运动。

迎接民主年

一百声礼炮，
欢迎新年来到。
什么新年值得放礼炮？
不消说，
民主新年最崇高。
民主好像圣诞老，
带来糖果给宝宝；
带来棉衣给苦恼；
带来合法存在给党派；
带来无畏精神给战壕；
带来精神团结给民族；
带来四大自由给同胞。
宝宝在乐园里笑；

苦人在茅棚里笑；

党派在会议席上笑；

战士在壕沟里笑；

整个民族个个同胞都欢笑：

在家里欢笑，

在田里欢笑，

在工厂里欢笑，

在学校里欢笑，

在每一个角落里欢笑，

生也欢笑，

死也欢笑，

笑到汉口，

笑到南京，

笑到北平，

笑到东四省，

还是笑不了。

笑出大韩民国，

再放一百声礼炮。

笑出日本民国，

再放一百声礼炮。
这一切都成空头支票，
只有真民主才能办得到。
于今美国已上吕宋岸，
英国快到台湾岛，
大西洋上炸沉铁壁子，
英国海军也到东方了。
中国海岸站不稳，
敌寇必向华西跑。
如果大家团结牢，
整个民族动员了，
活的长城总反攻，
敌寇必被夹扁了。
河水爱向低处流；
冷气偏向松处跑。
如果政治不民主，
活的长城筑不牢，
一朝力量抵不住，
生路只有向西找，

到大戈壁去吃沙，
或到雷马屏峨去吃草。
民族问题有依靠，
必须民主来号召。
如果边民认不清，
倒把自己夹扁了。
你看民主不起早，
怎能活得了？
以前种种，
让它一笔勾销。
以后种种，
必须大家学好，
学铁托宏毅；
学贝奈斯见识高；
如果学习巴本得利奥，
难免弄成一团糟。
听啊！一百声礼炮，
声声唤醒同胞不要再睡觉。
起来！要起得早，

要起得早，

跟太阳赛跑，

拿出每一个人的血汗，

培植民主的幼苗，

掀起民主的洪潮，

给四万万七千万同胞，

洗一个大大的民主澡，

冲刷法西斯细菌，

淘汰日本强盗，

把自由神送上扶桑三岛。

在民主的世界中，

共同为人类幸福而创造。

哀挽“一二·一”！

一

流血！

流胜利血！

流内战血！

流反内战血！

学生在流血！

先生在流血！

人民在流血。

流吧！

流成血的鸿沟，

满鸿沟是血。

使内战魔渡不过去，

叫中国不致毁灭。

死吧！

死尸像天梯样，

一层层的堆列。

让自由神快走下来，

叫中国不会分裂。

二

我要问一问李宗黄，关麟征，

请你们凭良心讲一讲。

如果杀的是你自己的儿女，

你该怎么想？

如果杀的是你自己的弟妹，

你该怎样想？

你可以说：

“闹民主的都是‘共产党’，

反内战的都是‘共产党’，

儿女弟妹都变了‘共产党’，

我不是杀儿女，不是杀弟妹，
我杀的是‘共产党’！”
你如果把一切好事都记上共产账，
我还有什么可讲？
我只问：
你的太太怎样想？
你的母亲怎样想？
你自己梦里要怎样想？
你老了孤单一个又怎样回过头来想一想？

三

是谁杀中国人？
是中国自己的“好汉”。
是那儿来的枪？
是从友邦来的枪。
是从那儿来的子弹？
是从同盟国来的子弹。
让我们的同胞知道，

一齐起来制止这悲惨的内战。

让我们的朋友知道，

一齐起来停止支持这悲惨的内战。

乡村工学团试验初步计划说明书

乡村工学团是一个小工场，一个小学校，一个小社会。这里面包含着生产的意义，长进的意义，平等互助自卫卫人的意义。它是将工场，学校，社会，打成一片，产生了一个改造乡村的富有生活力的新细胞。

乡村工学团由儿童组成的，称为乡村儿童工学团；由青年组成的，称为乡村青年工学团。青年的定义，不根据年龄而根据求学的态度。老年人而有青年求学精神者，得入乡村青年工学团。

中华民族已经到了生死关头，我们要想起死回生整个的民族，须以最敏捷的手段，实施下列六大培养：

（一）培养普遍的军事能力；

（二）培养普遍的生产能力；

（三）培养普遍的科学能力；

（四）培养普遍的识字能力；

（五）培养普遍的运用民权能力；

（六）培养普遍的节制生育能力。

乡村工学团要将上列六大培养，具体而微的在自己乡村里尽量推进，把自己的乡村，造成中华民国的健全分子，并与全国一百万乡村联合起来，推进这六大训练，以造成一个伟大的，令人敬爱的中华民国。乡村工学团所采取的方法，与传统的方法，根本不同。现撮要列举如下：

（一）传统的方法，是学校与社会隔离；乡村工学团主张以社会为学校。

（二）传统的方法，是生活与教育分家；乡村工学团主张生活即教育。

（三）传统的方法，把师生的界限分得太严；乡村工学团主张会的教人，不会的跟人学。我们跟农人学种田，农人跟我们学科学，这是相师相学的意思。我们还可以教大徒弟去教小徒弟，七十二行都有资格做先生，都有资格做太上先生。先生既多，学问自广。

（四）传统的方法，是先生教而不做，学生学而不做；乡村工学团主张先生在做上教，学生在做上学。教与学都以做为中心，这便是教学做合一之要义。

（五）传统的方法，是教劳心者不劳力，不教劳力者劳心；乡村工学团主张在劳力上劳心，才算真正的做，否则便是瞎做、瞎学、瞎教了。

（六）传统的方法，教人先费几年，把知识装满了再去行；乡村工学团，主张“行是知之始”，我们要在行动上去追求真知识，有行的勇敢，才有知的收获。

（七）传统的方法，是教少数人升官发财；乡村工学团主张与大众共甘苦，同休戚，以取得整个中华民族之出路。

乡村工学团的主体，是本村的真农人。所谓真农人，是靠自己动手种地吃饭的人。我们所以要有这一个条件，是防备这件重要事业，落在坏人的手里，作为个人利益的工具。村外同志，只处于推动，赞助，辅导的地位。这种村外的推动，赞助，辅导，只适合本村需要的时期为限。推动的宗旨，在求本村的自动；赞助的宗旨，在求本村的自助；辅导的宗旨，在求本村的自导。乡村改造运动者，最忌代替农人做；因为代替农人做得太多太久，农人仍旧不会自己做。农人不会自己做，终是无补于大局。我们要想农人自动、自助、自导的来改造他们的村庄，必须在发动的时候有此认识。从村外同志之发动，到本村完成主体健全之组织，其移转之步骤如下：

第一步骤：创办时，发起人组织乡村改造社，掌管筹款用人指导事宜，同时认识本村真正农人。

第二步骤：由真正农人产生董事会，接受改造社助款，聘任总指导，再由总指导聘任指导员。

第三步骤：本村工学团经济独立，改造社得以此款创办他村的工学团。

乡村工学团以充分运用本村固有的力量为原则。凡新生活所必需而为本村所无的，才运用外来力量，例如房屋，则以租借公共建筑物为原则，非在不得已时必不建造新房；实验农场，则特约开通农友自办，不必买地。运动场之类，则租用荒地开辟。自卫武器，亦从集合本村原有武器，徐图扩充。甚至于小孩们坐的桌凳，亦可先由家中搬来使用，以待自造新的家具；虽一时外观不甚整齐，但惟有肯下如此决心，才能打破装饰的教育。这样开办费必可减到极少，腾出余款从事生产一类的重要活动。

乡村工学团，可从事指导员之培养。其培养方法，则采艺友制。所谓艺友制，即是在一种艺术上做朋友的意思。我们欢迎有志青年下乡，在办工学团上学办工学团。

乡村工学团，事实创举，预算难以正确。现在第一个工学团的试办地址，尚在寻觅中，何种农艺宜加改良，何种工艺宜加提倡，必须候至具体村庄找着后才能细算。一个乡村工学团第一年最低限度的概算如后：

（一）普遍指导薪金	九百六十元
（二）生产业指导薪金	九百六十元
（三）普通及生产工具设备	一千五百元
（四）生产流动资本	一千元
（五）修理费	三百元
（六）租金	二百八十元
（七）乡村工学团指导员培养费	一千元

上列预算，系依据最低需要而定。如果在同一工学团里增加事业或在他处加设工学团，则数目可以酌增。

育才学校创办旨趣

我们在普及教育运动实践中，常常发现老百姓中有许多穷苦孩子有特殊才能，因为没有得到培养的机会而枯萎了。这是一件非常可惜的事情，这是民族的损失，人类的憾事，时时在我的心中，提醒我中国有这样一个缺陷要补足。

抗战后，从国外归来，路过长沙汉口时，看到难童中也有一些有特殊才能的小孩，尤其在汉口临时保育院所发现的使人更高兴，那时我正和音乐家任光先生去参观：难童中有一位害癞痢的小朋友，但他是一位有音乐才能的孩子，不但指挥唱歌有他与众不同的能力，而他也很聪敏，任光先生给他的指示，他便随即学会。

又有一次，我在重庆临时保育院参观，院长告诉我一件令人愤愤不平的事。他说近来有不少的阔人及教授们来挑选难童去做干儿子，麻子不要，癞痢不要，缺唇不要，不管有无才能，惟有面孔漂亮，身材秀美，才能中选。而且当着孩子的面说，使他们蒙上难堪的侮辱，以至在他们生命中，烙上一个不可磨灭的印象。

以上三个印象，在我的脑子里各各独立存在了很久，有一天，忽然这三个意思凝合起来了，几年来普及教育中的遗憾须求得补偿，选干儿子的做法，应变为培养国家民族人才幼苗的办法，不管他有什么缺憾，只要有特殊才能，我们都应该加以特殊之培养，于是我便发生创办育才学校的动机。当时就做了一个计划，由张仲仁（一麐）先生领导创立董事会，并且得到赈委会许俊人（世英）先生之同意而实现，这是去年一月间的事。

创办育才的主要意思在于培养人才之幼苗，使得有特殊才能者的幼苗不致枯萎，而且能够发展，就必须给与适当的阳光，空气，水分和养料，并扫除害虫。我们爱护和培养他们正如园丁一样，日夜辛勤的工作着，希望他们一天天的生长繁荣。我们拿爱迪生的幼年来说吧，他小时在学校求学，因为喜欢动手动脚，常常将毒药带到学校里来玩，先生不理解他，觉得厌恶，便以“坏蛋”

之罪名，把仅学了三个月的爱迪生赶出学校。然而他的母亲却不以为然，她说她家的蛋没有坏，她便和她的儿子约好，历史地理由她教他，化学药品由自己保管，将各种瓶子做记号，并且放在地窖里，他欣然的接受了母亲的意见，于是这里那里的找东西，高高兴兴的玩起来。结果，就由化学以至电学，成为世界有名的大发明家，虽然那三个月的学校教育是他一生仅有的形式教育，但是由于他母亲的深切的理解他，终能有此造就。像爱迪生母亲那样了解儿童的精神，是值得我们学习的。假如他的附近有化学家、电学家的帮助，设备方面又有使用之便利，则可减少他许多困难。我们这里便想学做爱迪生的母亲，而又想给小朋友这些特殊的便利。

我们这里的教师们，要有爱迪生母亲那样了解儿童及帮助儿童从事特殊的修养，但在这民族解放战争中，单为帮助个人是不够也是不对的，必须要在集体生活中来学习，要为整个民族利益来造就人才。因此，我们要引导学生们团起来做追求真理的小学生；团起来做自觉觉人的小先生；团起来做手脑双挥的小工人；团起来做反抗侵略的小战士。

真的集体生活必须有共同目的，共同认识，共同参加，而这共同目的，共同认识，和共同参加，不可由单个的团体孤立的建树起来。否则，又会变成孤立的生活，孤立的教育，而不能充分发挥集体的精神。孟子说：“先立乎其大者，则其小者不能夺也。”我们中国现在最大的事是什么？团结整个的中华民族，以打倒日本帝国主义而创造一个自由平等幸福的中华民国。我们的小集体要成了这个大集体的单位才不孤立，才有效力，才有意义。与这个大集体配合起来，然后我们的共同立法，共同遵守，共同实行，才不致成为乌托邦的幻想。

我们的学生要过这样的集体生活，在集体生活中，按照他的特殊才能，给与某种特殊教育，如音乐，戏剧，文学，绘画，社会，自然等。以上均各设组以进行教育，但是小朋友确有聪明，而一时不能发现他的特长，或是各方面都有才能的，我们将来要设普通组以教育之。又若进了某一组，中途发现他并不适合那一组，而对另一组更适合，便可以转组。总之，我们要从活生生的可变动的法则来理解这一切。

但是，育才学校有三个不是，须得在此说明：

（一）不是培养小专家。有人以为我们要揠苗助长，不顾他的年龄和接受力及其发展的规律，硬要把他养成小专家或小老头子。这种看法是片面的，因为那样的办法也是我们极反对的。我们只是要使他在幼年时期得到营养，让他健全而有效地向前发展。因此，在特殊功课以外，还须给予普通功课，使他获得一般知能，懂得一般做人的道理，同时培养他的特殊才能，根据他的兴趣能力引导他将来能成为专才。

（二）不是培养他做人上人。有人误会以为我们要在这里造就一些人出来升官发财，跨在他人之上，这是不对的。我们的孩子们都从老百姓中来，他们还是要回到老百姓中去，以他们所学得的东西贡献给老百姓，为老百姓造福利；他们都是受着国家民族的教养，要以他们学得的东西贡献给整个国家民族，为整个国家民族谋幸福；他们是在世界中呼吸，要以他们学得的东西帮助改造世界，为整个人类谋利益。

（三）我们不是丢掉普及教育，而来干这特殊的教育。其实我们不但没有丢掉普及教育，而且正在帮助发展它。现在中国处在伟大的抗战建国中，必须用教育来动员全国民众觉悟起来，在三民主义抗战建国纲领之下，担当这重大的工作，所以普及教育，实为今天所亟需。是继续不断的要协助政府，研究普及教育之最有效之方法，以提高整个民族的意识及文化水准。育才学校之创立，只是生活教育运动中的一件新发展的工作，它是丰富了普及教育原定的计划，决不是专为这特殊教育而产生特殊教育，也不是丢掉普及教育而来做特殊教育。

（陆维特记录）

从五周年看五十周年

育才学校在千灾万难中居然活了五年，可以算是一个奇迹。这个奇迹是校董，育才之友，教师，工友，同学最可纪念之集体创造。

我们纪念这个奇迹之最好的方式，是爱护它，保护它，发展它，繁殖它，使它在新中国和新世界之创造中，发挥出它的力量与贡献。

让我们克服自己的弱点，抱着我们的优良传统向前进吧。明天就是六周年的第一天。开步走的一刹，那就决定了我们的前途。弱点是最重的担子。肃清弱点才走得动，否则会使我们半途而废。弱点是最大的敌人。肃清内奸才能无后顾之忧。否则，会使自己打败自己。远征的战士，首先要有勇气对着自己的弱点开刀。每一个人都要有这种勇气，才能展开光明的前途，走上十万八千里之长程。

什么是我们的优良传统？我们所带在身边的武装是什么？检查自己这武装配备得够不够。第一，奉头脑作总司令。人之高下，大致可以依他所奉的总司令为判断的标准，有的人奉肚子为总司令。也有人奉生殖器为总司令。我们育才则坚决的要推头脑作为总司令，指挥我们追求真理，贯通真理，为真理作战。这样说法，并不是叫我们把肚皮像个葫芦一样挂起来，也不是叫我们把生殖器像一个太监那样割掉去，只是不许把它们顶在头上走路，不许它们喧宾夺主来指挥我们行动。我们的统帅只有一个，就是我们的头脑。它永远不曾引导我们走错路，打败仗。

第二，止于大众之幸福。我们求学，所为何事？为着升官发财吗？为着自己的小圈子的利益吗？不是！《大学》说："大学之道，在明明德，在亲民，在止于至善。"我们想说得更清楚些："大学之道：在明民德，在亲大众，在止于大众的幸福。"大德不能小于"天下为公"。大众是我们的亲人，我们是大众的亲人，是必须亲近，打成一片，并肩作战。"止"是表示瞄准的意思，一切所教所学所做所探讨，为的都是大众的幸福。人说育才好比是一个“小大学”，即使育才长成了——一个十足的大学，也是一贯的要根据这个道理去办。

第三，全校团结成一个巨人。开校后三个月，保育会院长来校参观，曾称本校师生为家人子弟。去年部视学来校视察，也称本校雍雍穆穆，精神团结。我们自问，是希望到而没有做到这个境界；虽然没有做到，但是大家自觉的都要同心协力，把这境界创造起来。因为有了这个团结的心理，虽然偶然发现小组小摩擦，只要一提醒，便能冰消云散，更形团结。大而言之，全世界民主团结才能战胜法西斯；全国团结才能战胜日本帝国主义；我们学校师生工友团结才能完成人才幼苗之培植之实验及参天大树之森林之繁殖。我们需要保持团结的优良传统，需要更高、更坚固、更自觉的团结，以保证进一步的创造之成功。

第四，虚心，虚心，虚心，承认一无所知，一无所能；学习，学习，学习，学到人所不知，人所不能。虚心学习这四个字，在文字上是我们的优良传统，在实际上是我们的最大弱点。许多人是犯了眼高手低的毛病，虚心的成了虚伪。我们今后的任务是要使文字宣传与实际生活统一起来，做到名副其实之"虚心"学习，将"骄"字从我们态度里拔掉，这"骄"字是阻碍我们进步的最大的敌人。我们要虚心的跟一切人学；跟先生学，跟大众学，跟小孩学，跟朋友学，也跟敌人学，跟大自然学，也跟大社会学，要学得专，也学得博。

第五，建立起健康之堡垒。这身体不属于自己，我们的生活是为整个民族乃至新人类所有，我们要以卫生教育与环境卫生代替十分的医生，造成健康的堡垒，使得一点一滴的生活力与创造力都不致浪费。尤其是每一个人自己要爱惜他的身体。这身体要留着，锻炼着，与民族和新人类的敌人拼。浪费自己的精力以至于夭折，便等于敌人之帮凶而成为民族与新人类之罪人。

大时代早已来到，我们除了特修科要继续探讨外，应该要加强几样大的学问，以应大时代之需要。

第一，在战时，每一个学校应该不只是一个学问的组织，而且是一个战斗体。因为中国在战时仍旧办平时教育，故有些学校，甚至于大学，一遇敌人来到，仓皇失措，弄得这个跳井，那个上吊。三百年前的甲申，有上吊的皇帝，是他自作自受。现在的甲申，有上吊的学生，教育政策及教育当局却不能辞其责。每个学校和所在地的人民应当构成一个战斗体，能有拼死的学生，不能有上吊的学生。当月明星稀，铁鸟西来，谁能说敌人的降落伞不会落在凤凰山上？如果降落下来，应该不是我们上吊的时候，而是敌人送上门来挨打的机会。为着要加重这目的，我们加重军训。军训不能武八股，军训要教真武艺。

第二，在平时，尤其在战时，每一个学校应该不只是一个消费的组织，而且是一个生产体。我们要伸出双手来作生产劳动。我们要学习自食其力。我们每一组，拿出力量来建立本组之经济基础，合起来建立全校的经济基础。在可能范围之内，我们要做到：吃菜自己种，穿衣自己纺、自己织、自己制。我们把青春送给了光铁坡的荒野，光铁坡会把青春送回给我们。

第三，学习科学，帮助创造科学的新中国。现在的世界是一个科学的世界。整个中国必须受科学的洗礼，方能适于生存。抗战建国的大业，都要靠科学的力量完成。我们首先要把自然组充实起来，并以自然组为服务中心普及科学于全校——普及科学的生活，科学的学习。科学的意义应该包括社会科学。还要社会组负责任，引导全校以科学的眼光观察世界，观察人生。探讨它，分析它，以求得正确之了解，合理之处理。时机早已来到，刻不容缓，我们必须培养科学的幼苗，撒播科学的种子，使全中国遍开科学之花，丰收科学之果。

第四，学习民主，帮助创造民主的新中国。民主的洪流，浪头已经到来，没有力量可以抵抗它。我们必须在民主的生活中学习民主，并帮助老百姓在民主的组织中学习民主，学习管理众人的事，学习怎样做中华民国的主人。

三联经典文库第二辑简目

《游击战教程》　明凡 / 著

《游击战术纲要》　陶剑青 / 编著

《汪精卫卖国的理论与实践》　钱俊瑞 / 著

《抗战以来》　韬奋 / 著

《陕行纪实》　楚云 / 著

《随军散记》　沙汀 / 著

《被日寇囚系半载记》　王研石 / 著

《倭营历险记》　房沧浪 / 著

《活跃的新西北》　田影 / 编著

《保卫华北的游击战》　刘清扬　陈北鸥等 / 著

《徐州突围》　《徐州突围》编委会 / 编

《沦亡的平津》　长江　小方等 / 著

《淞沪火线上》　胡兰畦等 / 著

《瞻回东战场》　长江　罗平 / 著

《东线的撤退》　胡兰畦等 / 著

《抗战中的西北》　徐盈 / 著

《鲁闽风云》　徐盈等 / 著

《西线生活》　西北战地服务团集体创作

《中国解放区见闻》　［美］福尔曼著 / 朱进译

《全面抗战论》　潘汉年 / 著

《日本的间谍》　范士白自述 / 尊闻译

《日本大陆政策的真面目》　国难资料编辑社 / 编

《民众动员论》　李公朴 / 著

《中国外交史》　钱亦石 / 编著

《太平洋军事地理》　蒋震华 / 著

《世界经济地理讲话》　思慕 / 著

《列强军力论》　［德］马克斯·威纳尔著 / 宾符　仲持　梅益等译

《近代国际关系史》　张铁生 / 著

《太平洋现势手册》　沈志远　石啸冲 / 编著

《近代世界政治史》　钱亦石 / 著

《从战争到和平——一九四五年的世界政治》　乔木 / 著

《战后日本问题》　思慕 / 著

《最近一年间的国际动态（1946.7–1947.6)》　《东北日报》社 / 编

《论政党》　翟放 / 著

《法与宪法》　韩幽桐 / 编著

《中华民国宪法刍议》　罗家衡 / 著

《民主·宪法·人权——作之民》　费孝通 / 著

《宪法论初步》　潘念之 / 著

《对反民主的抗争》　韬奋 / 著

《农村改进的理论与实际》　江恒源 / 著

《上海产业与上海职工》(上下)　　朱邦兴　胡林阁　徐声 / 合编

《陶行知教育论文选辑》　　陶行知著 / 方与严编

《中国通货膨胀论》　　杨培新 / 著

《中国及其未完成的革命》　　H·普拉特著 / 蒋天佐译

《中国的建设问题与人的训练》　　卢作孚 / 著

《论中国特殊性及其他》　　艾思奇 / 著

《中国经济问题讲话》　　钱俊瑞　徐雪寒　王渔邨　姜君辰　骆耕漠 / 合著

《中国经济的道路》　　许涤新 / 著

《中国财政之病态及其批判》　　孙怀仁 / 著

《官僚资本论》　　许涤新 / 著

《五四运动之史的评价》　　陈端志 / 著

《中国通史简编》(上下)　　中国历史研究会　范文澜 / 主编

《论文学的工农兵方向——读〈在延安文艺座谈会上的讲话〉》　雪苇 / 著

《中国近代史(上编　第一分册)》　　武波 / 编著

《文学百题》　　傅东华 / 编

《中国史学之进化》　　周谷城 / 著

《论民族形式问题》　　胡风 / 著

《论批评》　　荃麟等 / 著

《中国史纲》(第一卷上下、第二卷上下)　　翦伯赞 / 著

《近代中国思想学说史》(1–4)　　侯外庐 / 著

《中国政治思想史》(上下)　　吕振羽 / 著

《中国哲学史纲要》　　向林冰 / 著

《中国政治史讲话》　　钱亦石 / 著

《中国社会经济史纲》　　王渔邨 / 著

《新财政学大纲》　　千家驹 / 著

《太平天国革命运动论文集——金田起义百周年纪念》

华北大学历史研究室 / 编

《理性与自由——文化思想批评论文集》　　胡绳 / 著

《战斗者的诗人》　　黄药眠 / 著

《国语文法》　　曹朴 / 著

《教育哲学》　　张栗原 / 著

《妇女问题讲话》　　杜君慧 / 著

《婚姻 · 子女 · 继承》　　沙千里 / 著

《性教育新论》　　布士克　雅各生合著 / 董秋斯译

《狱中杂感》　　杜重远 / 著

《七人之狱》　　沙千里 / 著

《爱迪生传》　　伍况甫 / 译

《歌德自传》(上下)　　歌德著 / 思慕译

《尼赫鲁自传》　　[印度] 尼赫鲁著 / 毕来译

《列宁传》　　[苏] 凯尔任采夫著 / 企程　朔望译

《罗斯福总统传》　　C. Mackenzie 著 / 张尚之译

《托尔斯泰传》(1–3)　　[英] 阿尔麦 · 莫德著 / 徐迟译

《革命文豪高尔基》　［美］亚历山大·康恩著 / 韬奋编译

《鲁迅纪念特辑》　新中国文艺社 / 编

《回忆鲁迅先生》　萧红 / 著

《人民文豪鲁迅》　平心 / 著

《亡友鲁迅印象记》　许寿裳 / 著

《鲁迅思想研究》　何干之 / 著

《鲁迅研究》　夏征农 / 编

《过来的时代：鲁迅论及其他》　雪峰 / 著

《电影戏剧表演术》　洪深 / 著

《日常心理漫谈》　［美］约瑟夫·查斯特罗著 / 曾宝施译

《心理常识漫话》　朱智贤　杨云美 / 著

《读书的方法与经验》　王任叔 / 著

《美国黑人生活纪实》　［美］加德维尔　斯坦倍克著 / 董秋斯译

《初访美国》　费孝通 / 著

《事业与成功》　［美］马尔腾著 / 汪原放译

《萍踪寄语（初集）》　韬奋 / 著

《一生的幸福前途——〈生活周刊〉信箱选集》　生活书店 / 编选

《深刻的印象》　生活周刊社 / 编

《海外的感受》　生活书店编译所 / 编